JN038147

猫の舌に釘をうて

都筑道夫

徳間書店

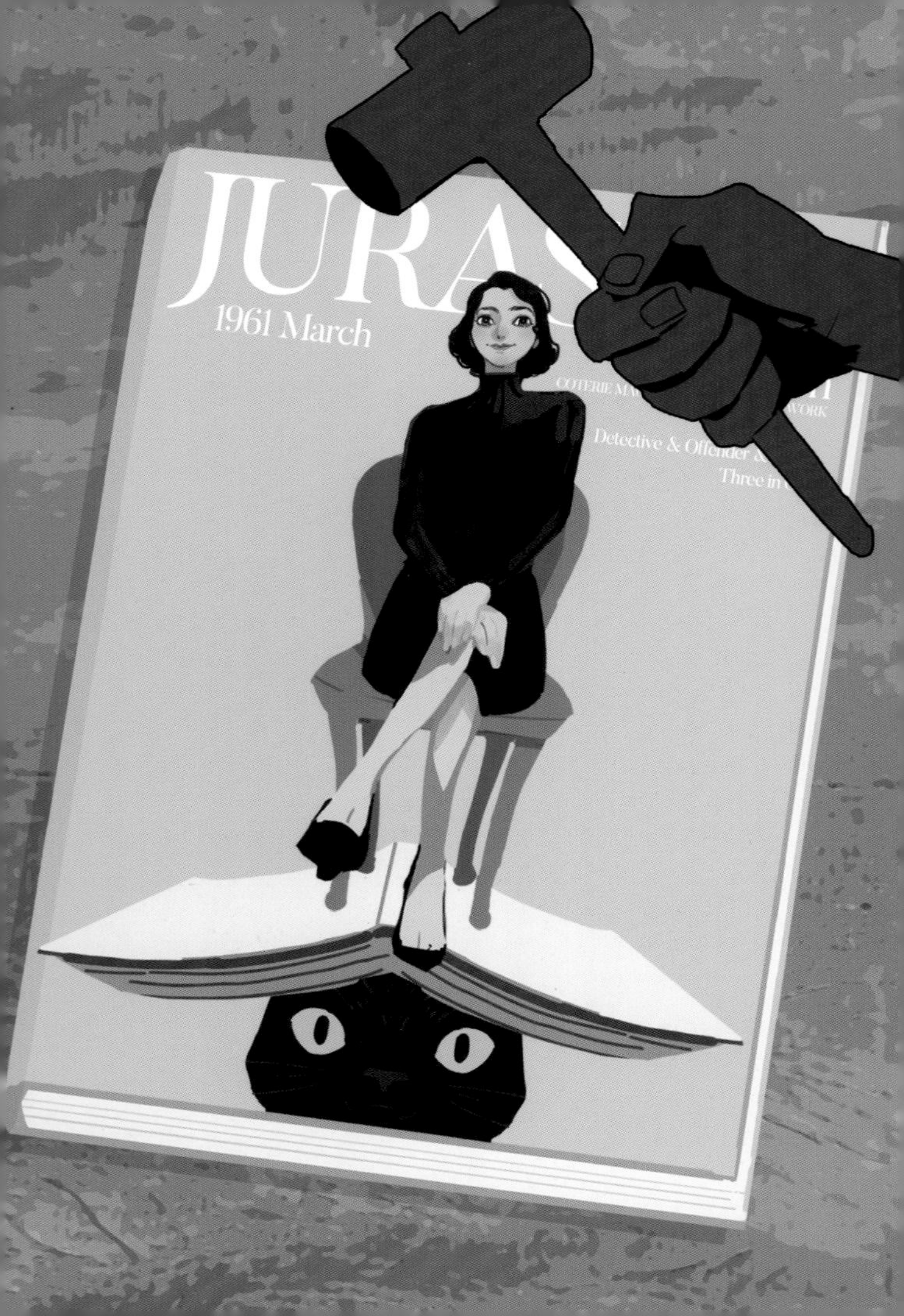
JURA
1961 March
Detective & Offender &
Three in

徳間文庫

猫の舌に釘をうて

都筑道夫

徳間書店

contents

デザイン　鈴木大輔（ソウルデザイン）

猫の舌に
釘をうて

Nail the cat's tongue, shut it up

Yet each man kills the thing he loves,
  By each let this be heard,
Some do it with a bitter look,
  Some with a flattering word,
The coward does it with a kiss,
  The brave man with a sword.

Oscar Wilde
Ballad of Reading Gaol

けれども人は誰もその愛するものを殺すのだ
誰にでもこのことをひろめてくれ
にがい顔してやるやつもいる
お世辞たらたらやるのもいる
臆病ものはくちづけで
放胆ものはつるぎをもって

オスカア・ワイルド
〔レディング獄舎の唄〕

三月四日　土曜

私はこの事件の犯人であり、探偵であり、そしてどうやら、被害者にもなりそうだ。

私の名は、淡路瑛一《あわじえいいち》。あと五つ寝ると満三十一歳半。本名を菊太郎という。昭和四年の重陽《ちょうよう》——菊の節句の九月九日に生れた長男だからだ。小石川の小っ旗本で、俳句なんぞをひねっていた祖父が、選んだ名前だけに、黴《かび》くさい。推理小説その他を書いて、生活している。その他というのは、いくらミステリを創作して、お入りようはございませんか、と歩いても、かたっぱし捌《さば》けるわけではないからだ。そのかわり、北米野牛《バイソン》みたいに不器用なくせに、どんな半ぱな注文だろうと、ことわったためしはない。だから、実話雑誌と称するものに、『私はわずか十五分で、見知らぬ処女を♨マークにつれこんだ』などという原稿を、十五時間もかかって、でっちあげることもある。けれど、ぜいたくはいわない。エヴァン・ハンターだって、チャールズ・ボモントだって、はじめのうちは、まっ裸の女の写真のあいだに、小さく活字をならべてたのだ。見ていろ、いつか、前人未踏の大トリックを考えだして、その一作が足がかり。週刊、月刊の連載を四つも五つも、かかえる身になってやるぞと、巳《み》のとし生れは、執念ぶかい。意気ごみだけは、たやさないでいる。

前人未踏。大げさな言葉だ。やぼな言葉だ。だが、推理小説では、ことに私が目ざしているClassic Puzzler——本格派の謎とき小説では、これがぜったい必要なのだ。独創性《オリジナリティ》。斬新なトリック。奇抜な形式《スタイル》。新しいタイプの名探偵。だれもまだ書いたことのない意外な結末《サプライズ・エンディング》。先輩たちは、みんなこれで苦労をしている。

名探偵がじつは犯人であった、という意外さ。被害者と思われていた人物が、ほんとうは加害者であった、というおもしろさ。一人称小説の記述者——つまり私が、真犯人である、というおどろき。

けれども、いまでは、どれも新しさをうしなっている。もっとオリジナルなものを、書かなければならない。世界の地図とおなじように、ミステリの地図にも一見、白いところはないようだが、だれもまだ、手をつけていない組合せなら、あるはずだ。そこで、考えた。一人称小説の私が、被害者であり、探偵であり、犯人である、というトリックは、成りたたないものだろうか。トリプル・プレイだ。これなら、角《つの》に苔むしたような鬼でも、あっというだろう。もちろん、私が真犯人である、ということは、隠さなければならない。だが、そのほかの点は、なるたけ正直に、一人二役、一人三役なんぞという、不自然な手をつかったのでは、おもしろくない。でも、私のあたまの蕪雑《ぶざつ》さでは、どうにもそうした状況を、組みあげることができないうちに、三重設定の可能を知らされたときは、すでに遅い。私じしんが現実に、そうした立場におかれていたのだ。

こうなっては、いくら変ったシテュエイションだからって、得意になってはいられない。私はこの手で、ひとを殺してしまったのだ。いや、われながら、あきれるくらい気の弱い私に、ひとが殺せるはずはない。だいいち、殺意なんぞ……ああ、殺すつもりがなかったとは、残念ながら、いえないのだ。それでも、ほんとに命を奪うつもりは……わからない。どういったら、いいのだろう。あれは殺意の影のような――いわばイミテーションの、まにあわせの、虫おさえの殺意。ほんものそっくりに空薬莢《からやっきょう》まで飛びだすが、やっぱりおもちゃのランドル拳銃。じっさいに、ひとは殺せぬはずのものだったのだが。

あの男を、ほんとうに葬るつもりは、露ほどもなかった。だからこそ私は、沈着果断、ジョゼフ・フーシェの表情よろしく、チャニング・ポラックも三舎《しゃ》をさけるの早わざで、あいつのコーヒーに白い粉をほうりこんだのだ。だが、あの男はそれを飲んで、死んでしまった。私ではない。ぜったいに私ではない。でも、やっぱり私が犯人なのだ。

そう思いたくない。といって、過失でもないだろう。こいつ生かしてはおけないと、こころに誓っていたのだから。毒薬を入れるつもりで、機会をねらっていたのだから。それを飲んで、相手が死んだからって、仰天してれば世話はない。でも、ちがう。私ではない。殺意はあったが、殺すつもりはなかったのだ。だいたい、あいつがいけない。似ていたから、いけないのだ。あいつがあいつに似ていたから——いや、この新聞の写真を見ては、だれも似ているなんて、いわないだろう。けれど、私にいわせれば……よそう。これでは、なんのことだか、わかるまい。

どうも、混乱している。冷静にならなければいけない。もう落着いたつもりだったが、やっぱり、あたまのなかのごく小さな歯車がひとつ、微妙なところでずれたまま、まだもと通りになっていないようだ。ひとごとみたいな気になって、だれにでも表情がのみこめるように、そもそもから、書いてみよう。万一のこと——というのは、私が殺人犯人として、あるいは他殺死体として、警察にしらべられるときのことだが、それを考えても、そうしておいたほうがいい。

あん畜生、生かしてはおくものか、と私がほんとに思った相手は、塚本稔《つかもとみのる》という男だ。だが、殺意を行為にうつす気は、はなからなかった。実行すれば、法律にふれるからではない。じっさいに手をくだすには、勇気が欠けていたからでも——いや、これはいくらか、歯止めの役をしたかも知れない。けれど、なによりも、踏みきれなかったワン・アンド・オンリイの理由は、塚本稔を殺してしまうと、塚本有紀子《ゆき》が不幸になる、ということだ。有紀子のこころを攪《か》きみだしても、平気でいられるくらいだったら、姓が塚本にかわるのを、指をくわえて眺めていたはずがない。日活国際会館のシルヴァー・ルームでひらかれた披露宴にも、リラの花束を持っていくかわりに、時限爆弾《タイム・ボム》でも送りとどけてやっただろう。

だから、塚本稔をねむらすことはできない。殺意を私は無理やりに、胸のなかで凍らせた。そんなドライ・アイスみたいな感情の鬱積をいだきっぱなしで、生活していけるはずはない。考えることも、することも、なにからなにまで鯱《しゃち》こばって、私はどうにもならなくなった。どうにかする方法は、ひとつしかない。殺意を満足させることだ。

そこで私は、あの後藤という男を、殺す気になったのだ。新宿歌舞伎町の《サンドリエ》という喫茶店に、私は毎日、顔をだす。後藤もそこの常連《レギュラー》だ。塚本稔にどことなく似ている。こいつを殺せば、塚本をやっつけたような気になって、胸のなかのドライ・アイスも、たちまち霧消するだろう。私はそう考えたのだ。しかし、後藤には細君がいるかも知れない。小さな子どももいるかも知れない。やっぱり、ほんとうに殺すことはできない。けれども、殺すまねはできる。私は後藤を被害者に見たてて、疑似殺人を演ずる決心をした。そんなことをしたって、なんのたしになるものか、と笑うひとも多いだろう。おかしかったら、遠慮はいらない。笑えるひとは勇気もあり、行動力もあって、きっと幸福なのだろう。

もっとも、いまの私はそういって、すましてばかりもいられない。もしもこの手記が、だれかに読まれるような羽目になったとき、そのひとに理解してもらえなかったら、大変だ。といって、起ったことを早く書いてしまわないでは、気がやすまらない。簡単にいえば、有紀子を独占するのぞみがなくなって、私のこころには、大きな穴があいたわけだ。その穴には、忿懣《ふんまん》という、やるかたのない有毒のガスがたまった。ほっておけば、命にかかわる。このガスを追いだすためには、〈復讐感の満足〉を、穴いっぱいに充塡《じゅうてん》しなければいけない。だが、じっさいに復讐することは、できない。だから、〈復讐したつもり〉という、プラスティックの球を塡《つ》めるより、しかたがない、というのが、精神に対する整形手術の、私のプランだったのだ。

これで、納得してもらえるだろうか。なにしろ私にとっては、たいせつな問題だ。しちっくどくなってもいいから、あとでもう一度、説明することにして、さきを急ごう。ひとつには、まだ晩めし前で、腹がへっている。今夜は池袋まで、くいにでかけるつもりだから、ひとくぎり、早くつけてしまわなければならない。

とにかく、後藤を殺すまねをすることで、心理的な平衡《へいこう》をとりもどせる自信が、私にはあった。そうきめた日に、塚本の家をおとずれると、有紀子は風邪で寝こんでいた。私の通されたベッド・ルームの、きりんでも不自由しないくらい大きな三面鏡の上には、風邪薬が十服《とふく》ばかり、おいてあった。小さな家みたいなかたちに、折りたたんだ薬包紙《やくほうし》は、スリッパを片づけておく要領で、ひとつひとつ差しかさねられて、反りをうっていた。そのいちばんはしのやつを一服、私は隙をうかがって、ポケットに入れた。有紀子がのむはずの風邪薬を、毒薬に見たてることで、私じしんに対する心理作戦は、いっそう、完璧なものになるような気がしたからだ。その足で、新宿へまわった。けれど、《サンドリエ》に二時間ちかくいても、後藤はあらわれなかった。次の日は午前十一時から、午後五時まで待った。やっぱり、顔を見せない。ようやくつかまえたのは、三日目のおひるごろ——つまり、きのう三月三日のことだった。いやに大きいバスク・ベレの、羊羹《ようかん》いろになりかけたやつをかぶって、カウンターの泊り木に、後藤は腰をかけていた。私はその左どなりに席をしめて、そっと風邪薬を、やつのコーヒーのなかに入れた。

　ところが、後藤はそれを、飲みおわったとたんに、泊り木からころげおちた。死んでしまったのだ。薬包紙の中身が、ふつうの風邪薬だったら、死ぬはずはない。折紙の小さな家には、死神が住んでいたのだ。私はあわてた。とつぜん、殺人犯人になってしまったのだから、だれだって、あわてるだろう。しかも、不運な男の呼吸をとめた劇毒（これは、あながち小説めかした表現ではない。後藤は呼吸中枢の麻痺によって、絶命したのだから)は、私が盗みださなかったならば、有紀子の喉に入っていたはずなのだ。ということは、だれか彼女を殺そうとしたものがいる、という意味にほかならない。

そんな企《たくら》みがあることを知って、ほっておかれる私なら、とっくにこの手で、有紀子の頸《くび》をしめている。だから私は、探偵の役わりをもつとめなければならない。それも、大っぴらにはできないだろう。なぜならば、私が後藤なにがし(きのうまでは知らなかったが、新聞で見ると、名前は肇《はじめ》というらしい)の毒殺犯人だということを、それは広告して歩くようなものだから。しかし、いくら内緒でやってみても、有紀子を殺そうとした男だか、女だかには、感づかれるかも知れない。気づいた犯人は、私を生かしておかないかも知れない。

だから、私はこの事件の犯人であり、探偵であり、そして、まかり間違えば、被害者にもなりそうなのだ。

晩めしをくいに、池袋へでるのは、やめにした。ひとりぐらしの部屋借りをしている大塚坂下町から、池袋まで、谷底のせまい道を日出町へぬけて、私はいつも歩いていく。きょうも、この問題を考えながら、日出町一丁目の商店街を歩いていた。大阪寿司の折をひらいたみたいに、低い家なみがぎっちり建てこんだこの通りは、昔ふうの深い軒が、せまい道はばを、いっそう窄《せば》めている。せいぜいオート三輪が、窮屈そうに入ってくるくらいだ。自動車なんぞは、まず侵入してこない。だから、考えごとをしながら、歩くのには、もってこいなのだ。

考え考え、歩いているうちに、池袋へ往復する時間が惜しくなった。とちゅうの中華そば屋へ、私はとびこんだ。広州軒という名前だけは立派だが、露地のかどの家にへばりついた床店《とこみせ》だ。かどの家の羽目板へ庇《ひさし》屋根と囲いをつけただけの、羊羹ひと棹ぶんの片木折《へぎおり》みたいな店だから、客が四人で満員になる。ひとっぺらのった叉焼《ちゃあしゅう》は、あやしげな色あいでも、三十円で、五十円とまではいかない。四十円ぐらいの味はする、というだけが取りえの柳麵《らーめん》を、私は大急ぎでたぐりこんで、部屋へひっかえした。いまは、午後九時四十五分。

寝床へ入るまでに、きのうときょうのことを、書きとめておかないと、細部の記憶がうすれてしまいそうだ。だから、時間が惜しかったのだ。ものを書くのに、これほど熱心になったことは、かつてない。考えれば、皮肉なはなしだ。しかも、読みかえしてみると、会話も入らず、べたべたと、ぺージいっぱいにつめこんで、書いてある。私が頼まれるような通俗読物の原稿は、対話だくさんに、行かえもやたらして、組みあがりが——つまり、

印刷した誌面が、白っぽくなればなるほど、歓迎される。中華民国かどこかの作家が、
「日本の小説家は、『ええ』とか、『うん』とか、書いただけでも行をかえ、まるで詩みたいに、白いところの多い原稿をつくって、一枚いくらの稿料をとるのだから、らくなものだ」
と、皮肉まじりに、うらやましがったそうだけれど、たしかにお喋りではこぶと、調子に乗って、私みたいに筆の渋りがちな人間でも、らくに書ける。しかも、読みやすい、といって、よろこばれるのだから、なにも苦労して、緻密に書きこむことはない。それを骨折ってやっているのは、私が一所懸命になっている証拠だろう。

でも、考えてみると、この手記は、他人に見られることがなければ、ないに越したことはないが、読まれるような羽目になったときには、親身に読んでもらいたくて、書いている。そのためには、多少、読みやすくしなければいけないだろう。しろうとならばともかくも、私はひとに読んでもらうために、文章を書く専門家ではないか。どんなときにも、読者へのサービスをわすれきってはいけない。

習慣というものは、ありがたいものだ。これだけ書いているうちに、どうやら私も落着いてきた。もっとも、腹がくちくなったせいも、あるかも知れない。インスタント・コーヒーが、まだ残っているはずだから、いっぱい淹《い》れて、頭もはっきりさせようか。

コーヒーといえば、きのう私が《サンドリエ》についたのは、十二時十分ぐらいだった。店の正面は、一枚ガラスのスイング・ドアだ。目の高さのところに、まるい灰皿をまうえから見た線画が、白で入っている。そのなかに、**さんどりえ**、と胃痙攣《いけいれん》を起した鰻《うなぎ》みたいなひらがなが、金で浮いている。これは、この店がここへ移転してきたとき、常連のひとりの、赤江鶴歩《あかえかくほ》という、あまり有名でない前衛書家が、お祝いに書いてやった文字で、広告マッチにもつかってある。

そのドアをおして、なかをのぞいた。カウンターに、後藤のバスク・ベレが見える。とたんに元気づいた私が入っていくと、

「いらっしゃい。お早いおつきさまで」

と、マスターの秋山《あきやま》氏が、笑顔をむけた。

「きのうよりは、遅いぜ」

と、答えながら、私は店内を見まわした。常連たちと会釈をかわす。といっても、カウンターに後藤と、早稲田の学生の阿部《あべ》君。それと奥のテーブルで、さっき名のでた赤江鶴歩先生が、瘠せた長い顔に火掻棒《ポーカー》パイプをくわえて、自動車屋の千野《ちの》さんのまるい顔と、むかいあっているだけだ。いつもの顔ぶれは、まだ四人しか、そろっていない。

「それでも、おとといよりは、早いでしょう。ほんとはもうすこし、出あしがいいとよか

ったんですがね」

白い宗匠頭巾みたいなコック帽をかたむけて、秋山氏がいった。

「どうして？」

「中沢《なかざわ》さんがお待ちになってたんですよ、三十分ぐらい前まで」

「ここに置手紙がありますわ」

ウェイトレスの芙美《ふみ》ちゃんが、口をはさんだ。

「どれどれ」

と、手をのばしながら、後藤の左どなりの泊り木に、私は腰をかけた。右どなりは、常連でない客で、ふさがっている。けれど、左があいていたのは、勿怪《もっけ》の幸いというやつだろう。はなから私は、そこを占領するつもりだった。それが、ごく自然にすわれたわけだ。というのは、そこはカウンターのはずれの席で、左手には柱が一本。そのなかほどに、小さな紙垂《かみしで》をたらした細い注連縄《しめなわ》が、めぐらしてある。客の伝言は、それへはさんでおくことになっている。しかも柱で、芙美ちゃんの視線を、さえぎることができるし、前にはシュー・クリームとリーフ・パイをならべたガラス・ケースがあって、秋山氏からも死角になるのだ。

四つにたたんだ腹へ、〈淡路のかみ様まいる、中ゟ〉とボール・ペンで書いたメモ用紙を、私は注連縄から、ひきぬいた。

「この名前の書きかたで、うらなったところでは、お小言じゃなさそうだな」

と、メモ用紙をひろげながら、横目をつかう。後藤と常連でない客の前には、受皿《ソーサー》が匙をのせて、おいてあるだけだ。うまいぐあいに、まだ注文したばかりらしい。私はメモに、視線をもどす。あて名にいたずらがしてあるわりに、なかは電報みたいな短さだった。

〈至急オ電話コウ、三時半マデ在社〉

中沢は、《告白》という実話雑誌の編集長だ。急ぎのしごとでも、あるのだろう。いつもなら、かどのタバコ屋の赤電話へ、すぐ駈けつけるところだが、きょうはそうしてもいられない。メモをたたんで、ポケットに入れる。そのゆびさきに、毒薬がふれた。風邪薬は、いつでもつまみだせるように、四角くきったオブラートに移し、一cm角ぐらいにたたんで、鼻紙にはさんであるのだ。

「へえ、お待ち――」

どおさまを省略して、秋山氏が香気の立つカップを、後藤と右どなりの客の前へおいた。ふたりの注文は、この店でAと呼んでいる種類で、ふつうの大きさのカップに、ふつうの濃さのコーヒーが入っている。おなじ七十円で、それより濃いのを、デミ・タスという小ぶりのカップへ入れたのがB。AのカップへBのコーヒーを入れてもらうと、値段が百円になって、Cという。

「マスター、ぼくにもAをたのむ」

と、私は声をかけた。ネルの袋で漉《こ》したコーヒーを、壜につめておいて、注文のたびに暖めてだすのが、秋山氏のやりかただ。壜はうしろにおいてあるから、いちど客に背なかをむける。それが、私の計算に入っていた。ガラス・ケースが、手もとを遮蔽《しゃへい》してくれたところで、むかいあったまま、早わざをやる自信はない。

秋山氏をうしろむきにしてから、後藤の注意をそらす手段は、浮かんでいた。ガラス・ケースの上には、薩摩焼のちょかに、桃の小枝がさしてある。そのわきに白紙を敷いて、コーヒー・カップがふたつ、内裏雛《だいりびな》の見たてで、伏せてある。マジック・インクで、顔と装束《しょうぞく》をかいたのは、常連のひとり、若い漫画家の浪川君にちがいない。

『きょうは雛祭だったな』

と、私はいうつもりだった。

『この男雛女雛は、浪さんのいたずらだね。こっちの桃は、小枝ながらも、ちゃんと「白桃や莟うるめる枝の反り」を、見せてるじゃないか』

こういえば、後藤はきっと大きな段鼻を上むける。

『だれの句です、それ？』

『芥川龍之介ですよ』

そのあいだに、私の右手がはたらくのだ。もしも、後藤に気づかれたときには、

『すいません、すいません。やっぱりうまくいかないもんですな。となりのひとの茶碗に、毒を入れるって小説を、いま書いてましてね。ちょっと実験してみたんです。オブラートの中身は、風邪薬ですよ。これ、ぼくが飲みます。マスター、いまたのんだの、後藤さんにあげてよ』

と、誤魔化してしまえばいい。

秋山氏が、うしろをむいた。私は桃の小枝を見あげて、口をひらこうとした。とたんにドアのあく音がして、

「後藤さんてひと、いませんか」

「あたしだがね。なんです？」

後藤が泊り木をまわした。右どなりの客まで、つりこまれて、入り口をふりかえった。つくらなくても、チャンスは自然にできたのだ。すばやく右手を動かしながら、私もドアに顔をむける。黒い革ジャンパーの青年が、船員刈《クルー・カット》のあたまだけ、店のなかへつっこんでいた。

「すいません、ちょっと」

「ああ、つかいのひとってのが、あんたなのか」

後藤は泊り木をおりた。革ジャンパーは首をひっこめた。私はコーヒーに視線をもどす。なんということだ！　オブラートは、溶けかかってはいるものの、まだ上っつらに浮いているではないか。

薬は沈んだらしい。けれど、薬用澱粉紙はひろがって、ちょうどホット・ミルクの表面に膜がはったみたいになっている。色だけは、まっ黒にそまって、見わけがつかない。だが、匙を入れれば、気がつくだろう。私は逃げだしたくなった。後藤は店の前で、船員刈《クルー・カット》のあんちゃんと話をしている。秋山氏はうつむいて、ガスの火かげんを見ていた。度胸をきめて、私は泊り木をまわす。奥のテーブルに、声をかけた。

「千野さん、その新聞、いいですか」

「ああ、あいていますよ。でも、きょうは、事件らしい事件はなかったな」

千野さんは、ふとったからだを器用にめぐらして、わきの椅子の上から、朝刊をとってくれた。

『大丈夫、ぼくがいま殺しますから――夕刊には、間にあいますよ』

と、冗談が出かかったのを、私は嚙みころした。奥にむいたまま、うけとった新聞をひろげる。そこへ、後藤がもどってきて、すぐにあの騒ぎが起ったのだから、ふざけなかったのは、賢明だった。

現場にいあわせたひとのことを、書いておこう。ぜんぶで、十一人。こじつければ十二人になって、後藤が十三人め、というわけだ。罪もないのに、殺されたのだから、キリストに見たててやることにして、ユダの私は説明しなくていいだろう。あとの十一人は、入り口から奥まで四つならんだ四人がけのテーブルの、いちばん奥に、常連の赤江鶴歩先生と千野さん。その手前はあいていた。次は若いカップルだ。娘のほうは、赤い染め髪をシャギイ・ボブにして、フリンジのついたマルティ・カラーのイタリアン・スウェーターに、ペダル・プッシャーとかいう七分丈の黄いろいスラックスをはいている。つれは薄墨いろの背広を窮屈そうにきて、髪は男のシャギイ・ボブ、山下敬二郎みたいなあたまの、まだ学生にちがいない。入り口に尻をむけて、ふたりならんですわっていた。壁ぎわの娘と背なかあわせに、鼻のさきのドアを気にしてるのは、ときたま顔を見かける中年男だ。商談の相手かなんかを、待っているのだろう。黒っぽいトレンチ・コートの、くたびれたのを羽織ったまま、型のくずれた書類かばんを後生大事《ごしょうだいじ》にかかえている。

カウンターの右はしでは、アーニスト・ダウスンを研究している阿部君が、本をひろげていた。世紀末詩人とは関係ないが、われわれ常連の意見では、やはり高級な書物で、当店そなえつけの手塚治虫の漫画。泊り木をふたつあけて、後藤の右どなりにいた男は、蹴球《サッカー》でもやったことがありそうな肩はばを紺の背広でつつんで、太い黒ぶちのめがねをかけている。カウンターのなかには、シャム猫に似た秋山氏。左のはずれの柱のかげには芙美ちゃんが、きょうは玉虫いろの支那服で、脚線美をのぞかしていた。十一人めは常連で、ドクトル・シブエッツァーこと渋江《しぶえ》君。東京医大病院のインターンだが、昼めしに出てきたらしく、ちょうどドアをおして、入ってきた。

こじつけの十二人めは、裏口をあけて、首をつっこんだ洋菓子屋のご用聞きだ。秋山氏が客に背をむけて、そいつに小声をかけていたときに、騒ぎは起った。最初に声をあげたのは、右どなりのめがねの男だ。

「あっ、あぶ――」

ないは、聞えなかった。イタリアン・スウェーターの娘が、シュトックハウゼンの電子音楽みたいな叫び声をあげた。瀬戸ものとガラスの、いっしょにくだける音がした。どさっと、にぶい地ひびきも。

私は文字どおり、飛びあがった。新聞をほうりだして、ふりかえる。見ると、後藤が床にたおれていた。客は総立ちだった。秋山氏も、ロカビリイ喫茶に迷いでたトルストイの亡霊のような顔つきで、カウンターをくぐると、飛びだしてきた。さすがに渋江君は、かがみこんで、後藤の脈をとっている。

「心臓麻痺か？　痙攣《けいれん》してないから、癲癇《てんかん》じゃなさそうだな……」

と、いった私のほうが膝はがくがく、手さきはぶるぶる、カウンターにつかまらなかったら、すわりこんでしまったかも知れない。声がうわずりゃしないかと、不安だったが、なにもいわないのも、不自然のような気がした。

「そんなものじゃない。秋山さん、救急車を呼んだほうがいいな。こりゃ、ぼくの手にはおえないぞ」

ドクトル・シブエッツァーが、後藤の瞳孔をのぞきこみながら、早口にいう。

「ぼくが電話してくる」

阿部君がドアをあおって、駈けだした。その小柄な背へ、私は声をかけた。

「一一九だよ。百とお番じゃないぜ」

とたんに脳みそが、火のついた骸炭《コークス》になった。後藤がたおれた原因を、知っているのは、私ひとりだ。けれど、死んでも、死ななくても、やがて警察は、ここで殺人事件、あるいは殺人未遂がおこなわれたことを、知るだろう。そのとき、私の立場はどうなるか。

「脳溢血ですか、渋江さん。奥の椅子へはこんだら……」

と、秋山氏がいった。

「動かさないほうが、よさそうだ。ひょっとすると、どうやら、こりゃあ――」

「自殺か?」

と、私は聞いた。

「とにかく、なにかのんだらしい。困ったなあ。手足が麻痺してるようなんだ」

渋江君がゆすぶると、後藤のからだは、ぐなっと動いて、死んだも同然だった。ひらいた目だけが、まだ生きているように見える。

「脈もとまった。秋山さん、どうしよう?」

立ちあがったドクトル・シブエッツァーに、秋山氏の背後から、

「人工呼吸をしたら……あたしは、軍隊でやった経験があるがね」

と、千野さんがいった。

「いや、毒をのんだのなら、まず胃洗滌なんだが……」

「マスター、こりゃあ、警察を呼ばなきゃいけないんじゃないか。いやだろうけど、万一ってことがあるから」

と、私はいった。秋山氏が、鼻のあたまに皺をよせる。

「そりゃあ、淡路君のいう通りだな、マスター。シブエッツァー博士が、病気じゃない、というのなら、警察に知らすにこしたことはない」

と、いったのは、赤江鶴歩先生だ。渋江君は、ぼさぼさの髪に手をやって、

「いや、ぼくにはよくわからないんですがね。なんだか、変なんですよ」

「とにかく、推理作家もいあわせて、そこに気づかなかった、というんじゃあ、常連の名折れだ。大丈夫だよ、マスター。新聞に出たからって、われわれはここへ来なくはならないから」

と、鶴歩先生がいった。私が心配した通りのことをいいだしたので、警察をもちだしてよかった、と思った。いずれは、調べられるのだ。そばにいた私は、ことに追及されるだろう。係官が、ぼんくらならば、問題はない。だが、気をまわされるとすると、推理作家である私が、こういう現場にいあわせて、百十番への通報をいいださなかった、ということは、これはたいへん不自然だ。

「あんまりびっくりしたんで、気がつきませんでした。反応《リアクション》がにぶいんだな、たしかに。だから、推理小説、いくら書いても、うけないいんでしょうよ」

と、いいのがれるのも、勘ぐられたあとでは、うまくない。さいわい私には、後藤を殺す動機がない。あんまり出しゃばっても、まずいだろうが、あるていどのしろうと探偵ぶりは、見せたほうがよさそうだ。

たとえば、赤電話からもどってきた阿部君が、鶴歩先生にいわれて警察に通報しに、ま

た駈けだしたとき、トレンチ・コートの中年男があとからそわそわ、出ていこうとした。こういうのを、ほうっておいては、いけないだろう。私は声をかけた。

「すいません、ちょっと待ってください」

「金なら、そこへおきましたよ」

「コーヒー代のことじゃないんです。ぼくたち、パトカーがくるまで、ここに待ってなきゃあ、いけないんじゃないでしょうか」

「でも、ちょっと忙しいんで……」

「かかりあいになりたくないのは、みんな、おなじですよ。警察がくれば、住所と名前をいうだけで、あとはそんなに束縛されないと思うんですがね。無理にお帰りになると、かえって変にとられませんか。警官はまず、自殺か他殺かを、決定しようとするでしょうから」

この中年男とは、ここで二、三べん、顔をあわせたことがあるだけだが、私はあんまり好きじゃない。ご同様に、しょったれた恰好をしていながら、つれがあると、私たちを軽蔑したような態度をとる。いつかも日本画家の滝口《たきぐち》が、私を相手におしゃべりをしていたとき、タバコも、酒も、コーヒーも、それから薬や、切手なんかまで、つけがきくようになったけど、

「めしだけは、その手がつかえるようにゃならないね。しかたがねえから、今夜はこれで、ひと片食《かたけ》すませるんだ」

と、うすっぺらなトーストをつまみあげたとたん、となりのテーブルで、歯槽膿漏《しそうのうろう》の恵比寿《えびす》さまみたいな男と、それまで小声でぎすぎす話をしていたこの野郎が、急にそっくりかえって、

「十万や二十万の金が、いちんちかかって都合できないようじゃ、いまどき男とはいえないよ、あんた」

と、聞えよがしに、いやあがった。『昔の日から今日の日まで』と、萩原朔太郎がいうように、『雲を見ている自由な時間』が、いつもほしいと思えばこそ、貧乏にたえている私たちを、なんだと考えているのだろう。

中年男は、私をにらみつけながら、椅子にもどった。そこへ、ふらっと入ってきたのが、いまいった滝口だった。若禿のおでこを青じらませて、まっ赤な徳利ジャケツに、コールテン・ズボンの下駄ばき、という日本画家らしくない恰好だ。

「なんだい、みんな、エリザベス女王に招待されたみたいな、落着かない顔をして」

「入ってこないほうがいいぞ、滝口。入ったら最期、出られなくなるから」

と、私が声をかけた。

「後藤さんじゃないか。どうしたんだね、シブエッツァー博士?」

「救急車がくるのを待ってるんですよ」

「当店のコーヒーに、あたったわけじゃあるまいな」

と、いいながら、後藤の足もとに、割れてころがっているコーヒー・カップへ、ゆびをのばした。

「さわっちゃいけない」

と、私は手をふって、

「マスター、あのかけらにたまってるコーヒーを、こぼさないように、ひろっといたほうがよさそうだ。指紋もしらべるだろうから、カップにじかにさわらないように」

あとで淀橋署の捜査係長に、適切な処置だった、とほめられたが、風邪薬に入っていた毒がなんだか、私は知りたかったのだ。犯人がすすんで証拠を、保存したなんて殺人事件は、犯罪史上、これが最初にちがいない。

救急車とパトカーが、あいついで到着したときには、完全に後藤は死んでいた。気の毒に、午後の商売をふいにした秋山氏は、いつもの元気をすっかりなくしていた。年長者の鶴歩先生が、代表のかたちで、急死したのは常連のひとりであること、コーヒーを飲みおわったとたんに倒れたこと、医者のたまごがいあわせて、急病ではないと判断したこと、推理小説家がいあわせて、警察への通報と現場の保存をはかったことを、パトカーの巡査に説明した。

巡査は救急車を、そのまま帰らせた。かわりに淀橋署から、捜査係長が鑑識係をつれて、やってきた。私たちは店から追いだされて、パトカーのそばにかたまった。ドアの前に縄を張って、医者みたいな白衣をきた鑑識係の巡査が、なかで死体をしらべはじめた。状況が自殺と他殺と、半々にみえたせいだろう。秋山氏と鶴歩先生がひととおり、捜査係長に話をすると、私たちは住所氏名を聞かれただけで、帰ってもいいことになった。

せまい通りは、野次馬でいっぱいだった。それをかきわけて、中年男と若いカップルは、逃げるように帰っていった。めがねの男は、淀橋署の車のかげに、白墨みたいな顔いろで、立ちすくんでる芙美ちゃんに近づくと、小声をかけた。

「お金をおはらいしていきましょう、コーヒーの」

それで気づいて、ドアのガラス越しにのぞいてみた。中年男のいたテーブルには、金なんかおいてありゃしない。

「あのトレンチ・コートとアベック、コーヒー代をはらわずに、いっちまやがったぜ」

と、私はいった。歯医者へいく前みたいな顔つきで、腕ぐみしていた秋山氏は、

「しようがないですよ、この騒ぎじゃあ」

と、つぶやいてから、めがねにむかって、

「けっこうですよ。かえって、ご迷惑をかけてしまったんですから」

「そうはいかないよ。ただ飲みをしたみたいで、あとが来にくなる。とっといてください」

「でも、なかへ入らないと、おつりがないんですの」

と、芙美ちゃんが百円玉をおしかえす。

「それは、この次にもらえばいい。どうせまた、近いうちにきますから。じゃあ、みなさん、おさきへ。とんだことでした」

めがねの男は、私たちにも会釈して、立ちさった。

「なかなか礼儀ただしき人物だね。なにものだろう？」

と、私はいった。

「このごろ、つづけて見えてるんですよ」

と、芙美ちゃんが答える。

「常連の仲間入りを、させてやってもいいな。こんどきたら、名前と職業を聞きだしとけよ、芙美ちゃん。おれは長唄の師匠か、殺し屋だと思うがね」

と、滝口がいう。

「さて、われわれもこうしていちゃ、邪魔になるばかりだな。いくとするか」

鶴歩先生は、私たちをうながしてから、まだ腕ぐみしたままの秋山氏にむかって、

「まったく、とんだことだったが、夜まで商売ができないわけでも、ないだろう。元気をだしなさい。またあとで、よってみるよ」

「ついていませんねえ。いま思いだしてたところなんですよ。ほら、九年前にやっぱり店で、自殺したひとがあったでしょう、先生」

「ああ、あったね。ぼくはいあわせなかったが……前の店の、それも改築前のことだな」

五年前まで、紀伊国屋書店のとなりの、新星館という映画館へ、大通りから入っていく左がわに、この店はあったのだ。

「あのあと、悪いことばかり、つづきましたからね」

秋山氏は、自殺と思いこんでいるようだ。私は《サンドリエ》の常連になって八年、鶴歩先生のような十五年選手とちがって、九年前の事件は知らない。そんなことがあったのなら、秋山氏の早合点もむりはないが、これが殺人で、しかも、私が犯人だ、と知ったら、どんな顔をすることだろう。

「そんな気にするまでもないよ。あのころとは、時代がちがうさ。いまのお客は幽霊がでたって、おどろくどころか、押しかけてくるだろうからな」

と、いってから、先生は芙美ちゃんの肩をたたいた。

「われわれのコーヒーを、わすれないようにつけておいておくれよ」

私たちは、また残っている野次馬をかきわけて、歩きだした。

「みんなで、《蘭》へでもいきませんか。ぼくはけっきょく、コーヒーにありつけなかったんだから」

と、ドクトル・シブエッツァーがいった。

「おれもそうだ。つきあおう」

滝口がまず、賛成する。

「秋山氏の元気がなくなると、店の雰囲気にも影響しますよ。様子をみて、厄はらいの会でもやりますか」

と、千野さんがいうと、鶴歩先生も火掻棒《ポーカー》パイプにハーフ・アンド・ハーフをつめながら、

「その下相談をしておいてもいいな」

「ぼくは残念ですが、中沢君にあいにいかなきゃなりませんから」

と、そこで私は、みんなとわかれた。もちろん、四谷の《告白》編集部をたずねる気はない。塚本の家へいくつもりだ。後藤がたおれた瞬間には、ただただ、おどろきがさきに

立って、わが身の安全をはかる考えしか、はたらかなかった。だが、たちまち有紀子のことが心配になって、そのころにはあたまのなかに、

有紀子の命がねらわれている。

有紀子の命がねらわれている。

と、くりかえしさけぶ自分の声が、ひびきわたっていたのだった。

塚本稔の家は、文京区の表町にある。そことここと、二点間の最短距離を、タクシーですっとばしたいところだが、ふところが相談にのってくれない。新宿駅へむかって、私は急いだ。二幸前から、豊島園行きのバスで江戸川橋までいき、厩《うまや》橋行きの都電で伝通《でんつう》院へ出るのと、山の手外まわりの国電で池袋へいき、17番の都電で伝通院前へ出るのと、どっちが早いか、あたまのなかで、時間をはかりながら、大股に歩いた。

私と塚本稔とは、目白の独協《どっきょう》中学で同級だった。こっちがドイツ語なんかきれいにわすれて、売文業におちこんだのにくらべ、やつは順調に千葉医大の薬学科を出て、いまは叔父さんが社長の製薬会社の、研究所長をしている。

光進製薬株式会社。《ハッタリ》という鎮痛消炎剤、古風ないいかたをすれば按摩《あんま》膏薬《こうやく》で、あたった会社だ。野球選手をイメージ・スターにつかい、〈ハッタリをきかして、今日もがんばろう！〉というキャッチ・フレーズで、はでな新聞広告をはじめたときには、

こんなえげつない名前をつけて、大丈夫なのかな、とあきれたものだが、いまの世のなかはわからない。

「ほんとに、ハッタリがきいたのさ」

と、名づけ親の塚本稔は笑っている。

いまごろは、田端の研究所にいて、もちろん、表町の家にはいないはずだ。私はとにかく、駅前で電話をかけてみるつもりだった。しかし、二幸前へ出てみると、ちょうど豊島園行きのバスがとまっていた。

塚本有紀子は生きていた。珍しく漆《うるし》の茶羽織に、縫いとり御召《おめし》の和服すがたで、マホガニイのいろの沈んだ玄関に出てきたとき、口もきけないくらい、私は感動した。『生きている』ということには、こんなにも緊張した美しさがあったのか、と思った。

「ちょうど、よかったわ。紅林《くればやし》さんと小早川《こばやがわ》さんがきてるのよ。どうぞ。日本間のほうに、みんないるわ」

どこか物憂げな、いつもの調子で、有紀子はいった。

十畳の日本間では、七段に飾った雛人形の前に、写真家の紅林が、カメラをかまえてひざまずき、広告文案家《コピーライター》の小早川が、撮影用の小型ライトを手に、立っていた。

「お雛さまを撮るような趣味が、あんたにあるとは、思わなかったな」

と、私がいうと、紅林がふりかえって、

「ああ、きょうはもう、伝統主義者でね。『俗信』と題する組写真を、撮ってあるいているんですよ」

「こんにゃく閻魔《えんま》を撮って、沢蔵司《たくぞうす》稲荷を撮って、そのついでに、うちへよったんですって。まるで、ご隠居さんの訪問だわ」

と、有紀子が笑った。

「塩地蔵も撮ってきましたよ。このひとは、ひどいんだ。ここに住んでいて、こんにゃく閻魔を、ご存じないんですからね」

こんにゃくを絶《た》ってお祈りすると、眼病がなおるというお閻魔さまは、この家を出て、柳町へくだる坂をおり、右へいったところの、源覚寺という寺にある。塩地蔵も、その境内だ。沢蔵司稲荷は、この家の二階へあがれば、見おろせるのだから、いくら有紀子でも、知らないはずはないだろう。

「そういう紅林さんだって、撮るべき神社仏閣のリストを、編集者から渡されるまで、どこも知らなかったんじゃないんですか」

と小早川が、いった。

「そりゃ、しようがないさ。ぼくは経堂ニュー・タウンの団地族ですからね」

「それが、ついでに人形天皇のご一家まで撮っていこうってほど、懐古趣味になったのなら、いいものがあるぜ。こんにゃく閻魔のうらの小路《こうじ》に、明治時代のガス灯が一本、残ってるはずだ。もちろん、なかに電球を入れて、街灯になってるんだがね。そこに立って見あげると、坂のとちゅうに〈高等御下宿〉って、大きな看板のでた家がある、という木村荘八ごのみのおまけつき。どうだい？」

「うらの露地へ出ましたよ。富士銀行の団地みたいな寮のある坂をのぼって、ここへきたんですがね、ぼく。そんなの、なかったな。あれば、気がついたはずだけれど」

「それじゃ、なくなったんだ。もっとも五、六年、いや、八、九年前だな。ぼくが小判雑誌を手つだってて、戸崎町の印刷屋へ、よく出張校正にきたころの話だから」

「小判雑誌って、なあに？」

女中がはこんできた盆の上の急須に、魔法壜の湯をさしながら、有紀子が聞いた。

「ひところ駅の売店なんかに、やたらにならんでたじゃないか。B6判の読物雑誌だよ。出張校正ってのは、知ってるだろう。こっちから印刷屋へでむいてって、校正することさ。小さな印刷屋だと、職工の寝る部屋でね。坊主畳に卓袱台《ちゃぶだい》の上で、鯛焼かなんかくいながら、よくやったよ」

「こんど、ぼくらもやりましょうか」

と、小早川がいった。

「同人雑誌の出張校正じゃ、ぜんぜん歓迎されないね。大きなところで、泊りがけになったりすると、酒なんかまで出るらしいが……ああ、小早川君、もうしまいにするから、ライトを消しても、いいですよ」

と、紅林はカメラを片づけながら、

「けど、塚本さんのところにね。こんな古い雛人形が揃ってるとは、思わなかったですよ。懐古趣味ってわけじゃない。挿絵《さしえ》をやってる友だちの画家が、このごろ時代ものにまで、範囲をひろげましてね。参考資料にやったら、よろこぶだろう、と思ったからなんです」

「ぼくも知らなかったな。内裏雛や官女、五人囃子《ばやし》に随身《ずいしん》だけでなく、行器《ほかい》に湯筒に長持に、鏡台、針箱、挟み箱、女乗物に御所車、いろいろあるね。三味線まで、あるじゃないか。日本人はむかしから、こういうミニアチュアをつくるのが、うまかったんだな」

「江戸時代のすえか、明治のはじめのものらしいわ。おばさまがきて、飾ってくれたの。わたしはならべかたも、わからないんだもの。しまうときも、きてくださる約束なのよ。雛のわかれっていうの？」

「飾った日からかぞえて、奇数になる日に納めるんだったな、たしか。ならべかたといえばね、紅林君。時代ものの参考資料にするんだったら、内裏雛の位置のことを注意してやると、偉そうな顔ができるよ。いまはほら、むかって右に女雛、左に男雛をかざるだろ。明治までは、これが逆だったんだ。右が男雛、左が女雛で」

「そりゃあ、いいことを教えてもらった」

「それはそうと、淡路さん、原稿もってきてくれたんじゃないんですか」

と、小早川がいった。

「なんの原稿?」

「いやだなあ。ほら、ジャック・ケラワックの散文詩を翻訳するとか、いってたじゃないですか。こんどの編集当番は、ぼくなんですよ」

「ああ、『メキシコ・シティ・ブルーズ』のことか。あれはむずかしくて、うまく日本語にならないんだよ」

「モダン・ジャズのフィーリングで書いた詩だっていうから、期待してたんですよ。紹介する意義もあるしね。上っつらだけのビート風俗が、すたれかけたところだから、なおさら」

「このひと、当番だもんだから、すっかり張りきってるの。きょうも小説の原稿、もってきたのよ」

私たちの同人雑誌《侏羅紀《じゅらき》》は、はじめて先号、《文学界》の同人雑誌評にとりあげられ、小早川の短篇がほめられたのだ。彼が張りきるのは、あたり前だろう。

「あわてて、読まないほうがいいぜ、有紀ちゃん。熱がでるといけない」

と、私がいうと、小早川の表情が変った。

けれど、有紀子は笑って、

「大丈夫よ。もう風邪はなおったの。塚本がつくってくれた薬、よくきいたわ」

「それだよ。まだ残ってたら、一服くれないかな。こんどは、こっちが風邪ひいたらしいんだ。きみのが、移ったのかも知れない」

「そうだとすると、責任重大ね」

有紀子は立ちあがって、和室から出ていったが、すぐもどってきて、

「これだけ残ってたから、みんなあげましょう。ひきはじめにのんだほうが、いいのよ。お水、もってこさせましょうか」

「いいよ。勝手しったる他人の家。自分でのんでくる」

私は台所へいった。さいわい、女中はいなかった。薬は六服、残っていた。ふつう医者では、三日分ずつ薬をくれる。それとおなじにつくったとすれば、有紀子は二服しか、のまなかったわけだ。薬をポケットにしまい、水だけのんで、和室にもどる。

三十分ばかり雑談をして、私は紅林といっしょに帰った。塚本の家の前を、左へいくと

すぐ、伝通院から柳町へくだる坂へでる。露地口の左がわは、幸田露伴がすんでいた蝸《か》牛庵《ぎゅうあん》で、都の文化財の立札が立っている。灰いろの坂道を、絹《きぬ》漉しにしたような午後の陽が、静かに明るませていた。大通りから絶えまなく入ってくる自動車の音も、気のせいか、ここではあまり響かない。坂のまんまんなかに、太い木が一本、ぬうっと立っている。いかにも由緒ありげなその大木を、よけてくだりにかかるので、どの車も速度をおとすせいだろうか。豆腐屋のラッパのほうが、むしろ威勢よく、聞えてくる。

「道のまんなかに、こんな大木がのさばってるところは、もう東京にも、あまりないだろうね。ぼくはこの坂、好きなんだよ」

と、私はいった。

「いちおう撮っときましたよ、さっき。枯れてるわけでもなさそうだけど、芽が出てませんね。もう出るじぶんじゃないのかな。なんの木です？」

「それがわからないんだから、おかしいよ。東京が猥雑《わいざつ》になるばかりだ、なんて歎いてみても、やっぱり昭和っ子だね、ぼくらは。欅《けやき》か、椎か、公孫樹《いちょう》だと思うんだが、見わけがつかない。公孫樹なら、葉っぱがあれば、わかるんだけれど」

「この陽ざしなら、もう一ヵ所まわれそうだな」

と、紅林はポケットから、紙きれをだした。私はそれをのぞきこんで、

「こんどはどこへいくの？」

「なるたけ、新宿のほうへ出たいから、この豆腐の鬼王権現というのに、いってみます。西大久保一丁目だそうだから。このリスト、なにを種本にしたんだか、じつに杜撰《ずさん》でね。苦労してさがしてみると、取りこわされてたりするんです。あっても、ぜんぜん写真にしにくかったりして。骨の折れるしごと、ひきうけちゃった」

「西大久保といえば、もう新宿だな。タクシーでいくのかい？」

「ええ、電車通りへ出ましょうか」

富坂警察署の横へでる露地へ、私たちは入った。この露地を、富坂を横ぎってくだったところに、牛天神という、江戸時代から有名な社がある。いまのぞいたリストには、それがのっていなかったが、教えてやるのは、やめにした。昭和三十年五月二十五日の兵燹《へいせん》にかかったはずの、そのあとが、どうなっているかも知らないし、なによりも、新宿方面へいくタクシーに、便乗したかったからだ。

トロリイ・バスの西大久保一丁目で、私はタクシーをおろしてもらい、新井薬師行きバスにのりかえて、中野区の上高田二丁目までいった。停留所のすじむかいに、万昌院功運禅寺という寺がある。山門をくぐって、墓地へいく敷石道の左右が、むかしは牡丹の花壇になっていて、花どきには忽必烈汗《ふびらいかん》の行列を見るように、豪奢だったそうだ。いまは幼稚園の敷地につぶされて、鐘楼《しょうろう》の下に名ごりの木《ぼく》が、七、八本のこっているだけだが、墓地には旗本奴の水野十郎左衛門（墓石には、重郎左衛門ときざんである）、浮世絵師の歌川豊国（役者絵で知られた初代と二代、五渡亭国貞としても有名な三代目が、ひとつ墓に入っている）、対抗上、万松山泉岳寺と音《おん》が似かよった寺を、えらんだわけではあるまいが、吉良上野介義央《よしなか》の墓もある。記憶にあたらしいひとでは、純徳院芙蓉清美大姉、林芙美子の墓。

紅林の淫祠《いんし》めぐりにふれたはずみで、よけいなことを書いてしまったが、その万昌院に用があったわけではない。そこから二、三軒、寺がならんでいる坂下に、去年まで私は下宿していて、バス停留所の近くの、すがぬま薬局というのへ、よく薬を買いにいった。若い主人とかなり親しくなっていたから、そこで、例の風邪薬を分析してもらおう、と思ったのだ。

「この薬、酔っぱらってるとき、友だちからもらったんだがね。なんだか、わからなくなっちゃったんだ。たぶん風邪薬だと思うんだけど、ことによると、麻薬かなんかかも知れない。ちょっと調べてみてくれないか。二、三日うちに、結果を聞きにくるから」

と、口実をつけて頼んで、私は家へ帰った。問題の薬をみんなとりあげてしまって、いちおう有紀子に危険はなくなったわけだ。下宿の四畳半で、マーガリンを塗ったコッペ・

パンをもそもそ食ってから、《ギルティ》という翻訳推理小説雑誌のしごとにかかった。近くの酒屋で、ワン・コップの梅わりでもひっかぶって、寝てしまいたいところだが、その晩、私の全財産は、四百三十五円しかなかった。《告白》の稿料支払日が毎月五日で、あさってのわけだが、日曜日だから一日のびる。しあさってまで、これでつながなければならない。いつもなら、おあしがなければ達磨《だるま》さんをきめこむだけのことで、部屋にすわりこんでいれば、ほかにすることはない。ひとの時間を遠慮会釈もなく啖《く》ってしまうラジオやテレヴィ（夢をくうのは貘《ばく》だから、こいつらを私は*jikunk*《ジカンク》と呼んでいる）は、よせつけていないから、せっせと仕事をすることになる。めしは、うどんの玉のゆでたのに、醬油《したじ》をかけてすませれば、ひと片食《かたけ》が十円、三度くっても三十円で一日すごせるが、いまはいつもとちがうのだ。不測の事態にあたって、金がなかったら、動きがとれない。

私はおとなしく卓袱台にむかって、おとなしくないアクション・スリラーの翻訳を、四枚ばかりやった。六行めで、バスト37の金髪が、いやがるブラジァをひっぱずされ、二十四行めで、おなじ女がブラジァをつけるのをいやがる、というあくどい話だ。趣向もなにもあったもんじゃない。こういうものを推理小説と呼んで、だれも怪しまなくなったのか、と思うと、辞書をひくのがいやになって、万年床にはいこんでしまった。

けれど、さすがに眠れない。

三月五日　日曜

きのうから、けさへかけて、四百字詰原稿用紙にして五十枚ぐらいは、書いたと思う。六年ばかり前、少年ものの冒険小説を一冊、書きおろしたとき——といっても、引越しの金につまって、ある作家に代作をやらせてもらったのだが、ひと晩におどろくなかれ、百二十枚、書いたことがある。それが最高記録で、このごろでは十五枚まで頑張れば御《おん》の字なのに、五十枚とは、火事になると重いたんすも、軽くもちあがるようなものかも知れない。

なにしろ、私の命と、有紀子の命と、この世のなかで、どうしても失いたくないふたつのものが、いまの私の行動には、かかっているのだ。その行動を正確に記録しておくために、この本をつかったのは、悪くないアイディアだと思うのだが。

いま、これを読んでいるあなたは、どなたですか。私の友だちのひとりかな？　警察のひとかな？　出版のしごとに縁のないひとには、どうして、こんな本があるのか、不思議だろう。表紙と扉だけ見ると、こいつ、講談社で出した長篇推理小説——都筑道夫《つづきみちお》の『猫の舌に釘をうて』だが、中扉からあとはまっ白。ただの白紙だ。これは、しあがりの厚み（それを、束《つか》というのだが）を見るために、組みあがりのページ数だけ、使用する印刷紙を製本したもので、束見本と呼んでいる。友だちの編集者がたまたま持っていた『猫の舌に釘をうて』のそれを、ノートがわりにもらっておいたのが、たちまち役に立ったわけだ。

この手記を、とちゅうで、ひとに見られたくはない。といって、隠せばいとどあらわれる。ことには、せまい四畳半。安心できる秘密の場所はないのだから、ポオの『盗まれた手紙』のまねをするにかぎる。推理作家の部屋に入ると、本棚に推理小説がならんでいるのは、裸になった女の胸が、ふくらんでいるのと同様、自然なことだ。しかも乳房のように、ひとがしげしげ眺めはしない。その一冊が、なかは白紙の束見本だとは、思わないだろう。

これに手記を書くことを思いついたのは、村越《むらこし》警部補が帰ったあとだ。四日の朝、私が目をさましたのは、十一時半ごろだった。窓にたるんだカーテンの、上の隙間が目だつまで、あれこれ事件のことを考えていたから、自然に起きられたわけはない。曇ガラスの戸をたたいて、

「淡路さん。淡路さん。お留守ですか」

と、声をかけるものがあったのだ。

私は蒲団をはねのけると、毛布ごと起きあがって、襁褓《おしめ》みたいなカーテンをあけ、窓をあけた。昼間の光に眉をしかめながら、のぞいてみると、戸の前に小肥りの男が立っている。

「やあ、きのうはどうも。淀橋署の村越です。ちょっとお邪魔をしたいんですが、かまいませんか」

私はあわてて、首をひっこめた。顔いろが、変ったかも知れない。それを、見られたくはなかった。

「すいません。いま、戸をあけますから……まだ寝てたもんで」

「そりゃあ、悪いことしましたな。どうぞ、ごゆっくり」

スウェーターとズボンをつけ、万年床を片づけてから、曇ガラスのはまった板戸をあける。山茶花《さざんか》の生垣と羽目板のあいだに、杉綾《すぎあや》のスプリング・コートの肩を窮屈そうにすくめて、男は立っていた。

「さあ、どうぞ。きのうの捜査係長さんでしたね。靴はこの蜜柑箱のなかに入れてくださいよ。そとにぬぎっぱなしにしとくと、なくなりかねない。生垣のあいだから、手をつっこめば、羽目にとどくせまさですから」

「失礼します」

「ああ、外套はしばらくきたままでいてください。部屋が寝くさくなってるから、ちょっとのあいだ戸と窓をあけっぱなしにして、空気をかえます」

「いやあ、男くさいのは平気ですよ。ぼくも、下宿ずまいが長かったから」

と、捜査係長はスプリング・コートを畳んで、琉球畳の上にあぐらをかいた。私は座蒲団をすすめ、猫火鉢の蓋をとって、うめておいた火をほじくりかえすと、立ちあがった。襖《ふすま》についている掛金《ラッチ》をはずしながら、

「お話は顔をあらってからで、いいでしょう？」

「どうぞ、どうぞ。すぐ台所ですか。便利ですな。出入りはいきなり、おもてから出来るし。ぼくの下宿時代には、ずいぶん気がねしたもんですよ。とんでもない時間に帰って、玄関をあけてもらうんで」

「おなじ悩みで、ここに決めたんです、ぼくも」

ナイアガラ瀑布《ばくふ》みたいに、とどろいていた動悸も、顔をあらっているうちに、どうやら、おさまった。私は部屋にもどって、捜査係長の前にすわると、あらためて会釈《えしゃく》をした。

「お待たせしました。淡路菊太郎です。きのう刑事さんには、つい習慣で名のりをあげちゃいました。瑛一ってのは、ペンネームなんです」

「淀橋署の警部補、村越欣治です。作家のかたは朝が遅いだろう、と思って、見はからってきたんですが、起してしまって」

「すると、後藤氏の一件は、他殺の線が濃くなったと見えますな」

「どうしてわかります?」

「簡単な推理ですよ。だって、自殺と断定されたんなら、ぼくのところへ見えるはずがないでしょう? 自殺の線が濃いていどでも、きのうのきょうじゃあ、ぼくまではまず来ない。なぜなら、《サンドリエ》のおなじ常連といっても、それほど、ぼくは故人と親しくない。『こんにちは』『こんばんは』『なにかおもしろいこと、ありませんか』ていどの、口をききあうだけだ。後藤なに兵衛《べえ》というのか、名前も知らないくらいですからね。そのことは当然、秋山氏からもう、お聞きになったと思うんだ。それなのに、ぼくのところへ、聞きこみにきた。しかも、捜査係長みずから出馬、とくれば結論はわかっています」

「なるほど、これは油断できませんね。推理小説なんて、実際には応用できないものだ、と思ってましたが、考えなおさなきゃいけませんな」

「後藤氏の住所なんかは、わかったんでしょう?」

「あの喫茶店の、常連名簿とかいうものに、書いてありました」

「へえ、サインがすんでましたか。いつのまにか、灰皿の英雄のひとりになってたんだな」

「なんですか、その——」

「*Cendrier*というのは、フランス語で、灰皿のことなんです。あすこの常連は、みんな、ひとかどのサムライですから……」

「つまり、灰皿のなかの英雄たち、というわけですか」

「ぼくが勝手に、そう呼んでるだけですがね。後藤氏は、どこから通ってきてました?」

「葛飾です。小さなアパートに住んでました。奥さんとふたり暮し。そこにも遺書はありませんしね。奥さんにも、心あたりはないそうです。こんどはなにを、答えましょうか?」

捜査係長は、にやりと笑った。

「皮肉はやめてください。わかってます。きのうから、とんだことになった、と思ってたんだ。もしも他殺だったら、ぼくは有力容疑者《スター・サスペクト》になるわけだから」

「どうしてです?」

「わかりきったこと、聞かないでくださいよ。後藤さんは、コーヒーをのんで死んだ。そいつに、毒が入っていたらしい。しかも、自殺の線が出てこない、となりゃあ、あの先生のコーヒーに、毒性物質を入れるチャンスがあったのは、三人だけですからね。マスターの秋山氏と、右どなりにいたためがねの青年と、ぼくと」

「そうですかな」

「そうでしょう、救急車がくるまでに死んでたんだから。いつかエドマンド・オゥブライアン主演のスリラー映画に、時限毒薬をのまされた男が、死ぬまでに犯人をさがしだす話がありましたね。あんなものがじっさいに、あるんならとにかく、《サンドリエ》で、毒をのまされた、とすればですよ。ほかの人間には、チャンスがないんだ。だから、問題は毒の種類ですね。わかったんですか、それは。司法解剖したんでしょう？」

「こういう場合は、行政解剖ですよ、監察医務院で。テトロドトキシンというものが、検出されました」

「知らないなあ」

「河豚《ふぐ》の卵巣から、精製した猛毒だそうです。呼吸中枢が麻痺して、たちどころに死ぬらしいんですが」

「やっぱり、ぼくは疑われるわけか。しかし、ぜったいにぼくじゃあ、ありませんよ。信用してくれるかどうか、わからないけど」

「だいぶ、ご心配のようだが、後藤はあそこで、水ものんでます」

「すると、芙美ちゃんも容疑者のなかに入ってるんですか。そりゃ、ひどい。チャンスのあった人間は、みんな疑ってかかる。それが、警察のやりかたかも知れないが、心理もすこしは、考えてくれなくちゃあ。逆上して、硫酸をぶっかけたり、鋏を背なかにつっ立てたりするんなら、まわりに何人ひとがいようが、女がやって不思議はないけどね。公衆の面前で毒をもるなんて、不自然ですよ。そういう大胆さと細心さを、いっしょに要求されることは。大胆なら大胆、細心なら細心、どっちかに徹するのが、女性の犯罪でしょう?」

「おもしろいご意見ですな。まあ、安心してください。茶碗の大きなかけらに、残っていたコーヒーから、毒は検出されたんです。あれを保存しといてくだすったのは、適切な処置でした。感謝しています」

「ぼくが犯人だったら、あんなこと、しないはずでしょうが。その点で、もっと安心させてはくれないんですか」

「あなたが、推理作家でなければね」

「どういうことです、そりゃあ?」

「あなたは、あすこの常連だ。逃げかくれはできない。推理小説家だってことも、いずれは、われわれに知れる。それが、ああいう事件に立ちあって、なんにも気がつかないふりをしてたんじゃ、不審をもたれやしないか、と考えたのかも知れない」

　この男は、油断ができない。私はふるえる手を、大げさにふった。

「そこまで勘ぐられたんじゃ、動きがとれませんよ。だいいち、ぼくには動機がないじゃありませんか」

「これから、さがしますよ」

このなかにはないかな、とでもいうように、村越警部補は猫火鉢をのぞきこんだ。

「きなくさいと思ったら、タバコがいぶってますな、淡路さん」

「ゆうべ、寝るときにほうりこんだやつでしょう」

あけび細工の炭取から、明珍《みょうちん》の火箸をぬいて、私は灰のなかの吸殻をつぶした。

「古風な火箸をつかってますね？」

「姫路のみやげですよ。白鷺城《しらさぎじょう》の瓦釘をかたどってあるんだそうです。こんなものにも、興味をおもちですか。こうやって、両方をぶっつけあわすと、いい音がしましてね」

と、二本の火箸をむすんだ紙縒《こより》を、ゆびさきにかけて、鳴らしてみせた。その音叉《おんさ》のように澄んだひびきが、はてしなくつづくのを聞いていると、いつも私は落着いてくる。もうなにを聞かれても、あわてないぞ、と思っていると、捜査係長は腰を浮かした。

「なるほど、しみじみした音がしますな。いや、すっかりお邪魔しました。そろそろ、退散することにしましょう。じつは他殺ときまったわけじゃ、まだないんです。ただ、いろいろあいまいな条件が、出てきたもんですから」

呆気《あっけ》にとられて、警部補の顔を、私は見つめた。からだのわりあいに、面積がひろく、いやにぬけぬけとした面《つら》をしていると、はじめから思っていたんだ。私より年上だろうに、福助みたいなおでこには、面皰《にきび》がちらほら、本因坊戦の対局二十分後ぐらいを、発表している。こんなやつの手玉にとられてたまるものか。

「そうなんですか。もっとも、後藤氏みたいなタイプが、あんな場所で自殺するとしたら、わかりにくい動機だろうな。もちろん、遺書もないだろうし」

「そうだ。ミステリ作家の観察した故人を、うかがっておきましょうかな、参考に」

村越欣治は、いったん浮かした腰を、また落着けた。

「ぼくは、たかが雑文書きですよ。こんな事件のおかげで、一人前の推理作家あつかいをしてもらえるなんて、皮肉なこったな。後藤って人物は、ぼくにゃあ、えたいが知れないんです。年は四十五、六と踏んでたんだけど、あたってますか」

「四十二だというんですがね、細君は」

「厄年か。そうだとすると、老けだちのひとだったんですね。職業もわからない。昼間っから、あんなところでぶらぶらしてるんだから、サラリーマンじゃないな。商人にしちゃあ、かなり気ままなところが——つまり、《サンドリエ》でも、常連のお喋りに、仲間入りするときと、しないときがある。経済的には、あまり豊かじゃなさそうだが、スタイリストだ。それに物知りでね。手を見ると、指が長い。骨ばってはいるが、繊細な感じ。だから、名人かたぎの版下師かなんかだと、ぼくは睨んでたんです」

「細君は、発明家だ、といっています、ちょっと、話がおかしいんですがね。どうやら、おもちゃの考案かなんからしい」

「そういえば、ボール紙に写真を貼った妙な知恵の輪を、持ってきたことがあったな。キャバレーの支配人にたのまれて、友だちが工夫したんだとか、いいましてね。万歳をしてるヌードから、かぶせてあるブラジァとパンティをね。ぬがすって趣向なんだけど、やけにむずかしくって、だれもできない。最後にぼくがやって、これでも——ほら、むかし縁日に、ガラスの知恵の輪があったでしょう。はずせば、くれる。こわすと、お金とられるやつ」

「ありましたな。すぐ折れてしまってね。ずいぶん、小づかいを奉納したもんですよ」

「あれの名人だったんです、ぼくは。いまでも、たいていの知恵の輪や、箱根細工じゃ、おどろかない。そのぼくが二十分かかったんで、『こりゃあ、だめだ』っていったんですよ。『もっと、やさしくしなけりゃあ。これを考えたひと、宣材のつくりかたを知らないな』ってったら、いやな顔してたけど、あれ、後藤氏の考案だったたんですよ」

「《サンドリエ》で、だれかにあったりしていませんでしたか。アパートには、だれもたずねて来なかった、というんでね。あすこを利用してたんじゃないか、と思うんですが」

「そんなことは、なかった。もっとも毎日、顔をあわしてたわけじゃないから、断言はできませんがね。ぼくがあったときは、いつもひとりでした」

「ほかになにか、気がついたことは、ありませんか」

「そうだなあ。ぼくの見たところでは、後藤さん、中年から苦労したひとじゃないかしら？　つまりね。金持の家に育って、戦後、自活していかなきゃならなくなったていうような――銀の匙《さじ》をくわえて生れてきた口へ、粟《あわ》の粥《かゆ》をはこんでる、というやつですよ。自分じゃあ、そんなこと、これっぱかしもいいませんがね。それってのが、時世の波をのりきれなかったのを、恥ずかしがってたんじゃないんですか」

「なるほど。それで、過去をあいまいにしてたのかな。本籍地なんかを知らんのですよ、細君は」

「区役所へいっても、わからないんですか？」

「住民登録がしてないんです。米の配給も、うけてない。細君のほうは、ちゃんとしてるんですがね」

「内縁の夫婦なんですね、つまり」

「ええ。後藤というのも、本名かどうか、わからんわけです。いや、どうも、いろいろありがとうございました」

軽くあたまをさげて、村越警部補は立ちあがった。帰りぎわに、私はいってやった。

「用があったら、いつでも午前ちゅうきて、遠慮なくたたきおこしてください。そうすりゃ、無駄足しないですむはずです。じゃあ、水島友女史によろしく」

「はっはっはっ、検事になれないで、聞きこみにあるいてたんじゃ、面目なくって、墓まいりにもいけませんな」

妙な顔をするのが見たかったのに、この野郎、ちゃんと『滝の白糸』を知ってやがる。くえないやつだ。

捜査係長が帰ったあと、座蒲団を枕に、私は横になった。からだが雑巾《ぞうきん》みたいに疲れて、熱っぽい。それに、まずいことばかり、喋ってしまったような気がして、立ちあがれなかったのだ。村越のあとを追いかけて、商店街のまんなかで、

『おのれの心をいやすために、後藤を殺したのは私だ!』

と、ラスコーリニコフもどきに、どなってしまおうか、とまで考えた。話を信じてもらえれば、過失致死ですむはずだ。刑も長くはないだろう。うまくいけば、執行猶予ももらえるんじゃないか。けれども、自分に正直であろうとすれば、殺意がなかった、とは主張できない。殺すつもりだった、といってしまえば、残りの話も、とうてい信用してはくれ

ないだろう。

いまさら悔んでみても、はじまらないが、つくづく馬鹿なまねをしたものだ。私に小説作法の手ほどきをしてくれたのは、二年ほど前、故人になった正岡容《まさおかいるる》というひとで――三遊亭円朝の生涯をかいた『円朝』や、先代古今亭志ん生を主人公にした『寄席』などの、長篇小説はとうに埋もれ、このひと、作家としてはついに不遇だったが、寄席研究家としては知られて、新作落語もいくつか残している。そのひとつに、『気養帳《きやしないちょう》』というのがある。金にも女にも縁のない、ちょうど私みたいな人間が、乞食に千円やったら拝まれて弱った、とか、きょうも人気女優に結婚を申込まれて興ざめした、とか、縁がありすぎて困るようなことを日記に書いて、気をやしなっている――つまり、不満なこころを調節している、という話で、とっくり考えてみると、これが私のあたまにあったらしい。

そこへもってきて、小説のひとつも書こうというくらいだから、自分のうそに酔えるたちで、塚本稔などは、いまでも私の祖先を、播磨灘《はりまなだ》の海賊だ、と信じているようだ。空襲で焼ける前まで、螺鈿《らでん》の種子ガ島や、七宝の筒めがねが、じじつ家宝としてのこっていたような気が、私もしている。それならば、殺すまねをする相手は、後藤でなくてもよかったのじゃないか。むしろ、にくい本人のほうが、というひともあるだろう。けれど、私にいわせれば、塚本のつもりで、べつの男を殺すのだから、ほんとうにやらなくても、気がすむのだ。常識はずれのことかも知れない。だからこそ、自分ひとりで有紀子をまもる決心をして、私はこれを書いている。この手記は行動のひとつひとつに、証拠をのこすのが目的だから、いつまでもきのうのことを、記録してはいられない。あとからまとめて、でっちあげた、と思われたのでは、立つ瀬がない。

そこで、きのう村越警部補が、帰ってからのことは、簡単にしるす。寝ころんで考えているうちに、うそのない日記をつけておいたほうがいい、という結論にたっした。すでにいくたびも、くりかえした理由によって、束見本の利用を思いつく。午後一時、大塚仲町の山野井書店に、本を売りにいく。帰りにめしを食い、公衆電話から、有紀子に電話する。《侏羅紀》の編集会議は、日曜日の何時からか、聞くという口実があったので、躊躇なくかけられた。元気のいい声に、ほっとして部屋へもどる。古本屋では、買受票とかいうやつに、万年筆できちんと署名し、日づけまで記入した上、主人ともいろいろ口をきいてきた。これも、行動の証拠をのこすためだ。

お膳をだして、『猫の舌に釘をうて』の束見本をひろげたが、長篇小説の第一章に、手をつけるときみたいな気分で、なかなか書きだせない。推理小説の長篇は、家を建てるのとおんなじで、設計図ができていなければ、着工は不可能だ。それに建築とちがって、土台から組みはじめるとはかぎらないし、図面どおりできあがるともかぎらない。どこから手をつけるかによって、その作品の読者にたいする姿勢がきまるし、出来ばえも半分がた、決定するといっていい。おまけに、書出しができても、はたして設計どおり完成するだろうか、という心配がある。じつはその、密雲のような不安の圧力に耐えながら、すこしずつ手さぐりで、すすんでいくことのほうが、大変なのだ。どこから書いたら、いちばん効果があがるかは、馴れによって勘がはたらくようになる。しかし、逡巡はいつまでたっても、薄らぐことがない。

もっとも、いまの場合は、経験を記録すればいいのだから、書きすすめる上での不安はないはずだった。それでも、どこからはじめるかには、業《ごう》つくばりの亡者みたいに迷いに迷って、かなりの時間をむだにした。こうなると、まったく業としかいえない。ふつうのひとが日記をつけたり、手紙を書いたりするようには、筆があつかえないのだから、いやになる。ようやく、自分がとつぜんおかれてしまった窮地から、書きはじめることにして、渦巻がたに描写をひろげ、どうにか、行動と日づけが一致するここまで、こぎつけたわけだ。あとは日記のつもりで、やっていけばいい。きのうのことは、これでおしまい。

きょうは日曜日だから、寝こみを襲われる心配は、まさか、あるまいと思っていたが、《告白》編集長、中沢の声で、目がさめた。

「淡路、まだ寝てるのか。十二時すぎだぜ。いいかげんに起きて、陽にあたらないと、目の玉に苔《こけ》がはえるぞ」

あたまの芯へ、その声がとどくと同時に、玄関わきの六畳の古ラジオと、露地のむこうの小公園で、子どもがどなりあう雑音が、聞えだした。私は起きなおって、戸の鍵へ右手をのばした。腕はひどく重い。手首がずんべらぼうになっている。一字一字、力を入れて書くせいで、五十枚も頑張ると、関節の筋肉が腫れあがってしまうのだ。

「だめじゃないか。おれの伝言、見たんだろ。いくら待っても、電話をかけてこないから、やってきたんだ」

靴をぬぎながら、中沢はいった。

「ああ、そうだったな。わすれてたよ」

かぶったスウェーターのなかで、私が返事をする。

「のんきなこと、いってやがる。電話もかけられずに、水だけのんでさ。救援隊がくるまで、体力を消耗しないように、寝てるんじゃないか、と思ってね。わざわざ、もってきてやったんだぞ」

「なにを?」

「女房よろこべ、原稿がお金になったぞやい、さ。不思議なことに、稿料がきのう出たんだ」

「そりゃあ、ありがたいな、金曜日にわかってたんで、電話をかけろといったのか」

「ほかにも、用はあったんだ。日曜日にはるばる、椎名町から出てくるくらいだからね」

「そういうやつだ。となりの区からきたくらいで、恩に着せられちゃ、かなわない」

「馬鹿いえ。心理的負担を軽くしてやろうと思って、ほかの用も持参したんだ。あしたまでに三十枚、書いてくれよ。それが、用のひとつ」

「穴があいたのかい？　なにを書いたら、いいんだ？　太平洋の女護ガ島に流れついた男の話か、一時間に七人の女を殺したペンシルヴァニアの強姦魔か、エスキモーの性生活か」

お膳の上で、一万九千五百円の領収書に署名しながら、私は聞いた。一枚三百円の原稿を、先月は六十五枚、書いたのだ。封筒のなかには、源泉徴収の税金一割五分をひかれて、一万六千五百七十五円の現金が入っている。

「なにか変った犯罪実話がいいな。きょうのあしただから、ぜいたくはいわないけど。用のふたつは、相談だ。うちでもとうとう、週刊誌をやることになってね」

「月刊をやめてかい？」

「そうじゃない」

「すると、人数をふやすわけか。赤螺屋吝嗇兵衛《あかにしやけちべえ》さんが、よく思いきったね」

《告白》編集部は、中沢の下に使いはしりの青年が、ひとりいるだけなのだ。せめて、割りつけ——というのは、原稿の字数をかぞえ、組みかたや、挿絵の入れかたを指定する作業だが、それのできる人間を、ひとり入れてくれ、といつもいっては、社長にはねつけられて、中沢はくさっている。

「早合点しちゃいけないよ。あのケチンスキー氏が、ひとをふやして、いっぽしゃるかわからない週刊誌を、はじめるもんか」

「ふたりぐらいの小人数で編集している雑誌は、ほかにもあるから、同情はしなかったけど、一誌ふえるんじゃあ、大変だな。しかし、いまさら週刊誌なんて、手遅れすぎるんじゃないか」

「ちゃんとしたものをつくろうとしたら、割りこむ余地はないがね。まあ、週刊とうたっておいて、旬刊ぐらいのところでさ。実話記事を四、五本に、読切連載のルポルタージュ小説が一本。あとはヌード写真を、どしことぶちこむ。それも、いいモデルはつかわなくていい。ストーリ本位の、しろうとっぽい小説ほど、うけるのとおんなじでね。そこらの生きのいいねえちゃんを、裸にしたようなのが、いいんだ。つまり、インスタント・ヌードだな。この手でなんとか、ふたりでやってけば、もうかる目処《めど》はついたんだ。週刊誌は廻転が早いから、引きぎわを見あやまりさえしなければいいわけだが、そこでさ」

中沢は、戸口においてあるダスター・コートのポケットに手をのばした。ラッキイストライクをつかみだすと、そのまま片手で、器用にきっちり二本だけはじきだし、私にすすめた。

「もうひとつ、重点をおかなきゃならないのは、記事の題だよ。この手の週刊誌の中身といったら、似たりよったりだが、見だしのうまいのが売れるわけだ。『夜ごとに上で泣くB・G』とか、『パンティにパンチ、あてがはずれた未亡人』とか、意味ありげな見だしが、勝負なんだな。それをきみに、手つだってもらいたいんだよ」

「なんだ……連載小説でも、書けっていうのか、と思ったら」

「だめだよ。小説となると、もってまわって、考落ちをもうひとつ、ひねったみたいなものしか、できないんだから、きみゃあ」

「しかし、読者はものを知らない、ときめこんでだよ。写実の絵にカナをふったみたいな書きかたを、するっていうのは……」

「作家の傲慢じゃないか、というんだろ？　ぼくは、小説論をしにきたんじゃないぜ。みっつめの用が、まだあるんだ。おととい《サンドリエ》で、事件があったんだね。きみを待ちくたぶれて、ぼくが帰ったあと、間もなく」

「うん、きのう、ぼくのところへも、刑事が聞きこみにきたよ。自殺かどうか、まだはっきりしないらしいんだ。他殺なんてことになったら、ぼくは容疑者だからな。かなわないんだが……」

「そいつだよ。うちに書いてもらってる新聞記者に、聞いたんだ。どっちへころんでも、裏がありそうだな。自分で毒をのんだとしても、お金に見はなされたとか、女に見はなされたなんて、単純なもんじゃないらしい」

「どうして？」

「刑事がきたんなら、聞いたんじゃないのか。後藤肇《はじめ》ってのは、偽名らしいんだ。指紋しらべは、むだだったようだから、前科はないんだろうが、なにかありそうだぜ。細君は、なにも知らないっていってるんだが、隠してるのかも知れないしな。《サンドリエ》で、はじめて顔をあわしたときから、えたいの知れないやつだな、と思ってたんだ、ぼくは」

「しかし、なにをしてるか、見当のつかない人間は、多いもんだぜ。秋深き隣はなにをするひとぞ、だよ」

「きみなんかも、近所のひとからいわせりゃあ、そのひとりだろう。そんなことは、わかってる。けれどさ。どうだい、やってみる気はないかね」

「なにをさ？」

「うまくいったら、たいへんだぜ。『容疑者にされた推理作家、事件の謎をとく』ってわけだ。新聞からラジオ、テレヴィで騒がれて、注文が殺到するよ。うまくいかなくても、名探偵失格の記ぐらいは、書けるだろう」

「つまり、《週刊告白》の特別記者として、事件をしらべてみろ、というわけか」

「いやかい？」

「ちょっと考えさせてくれ」

　正直なところ、気がすすまなかった。そんな道化芝居をやってみたって、ものにならないのは、わかっている。成功させるためには、私が犯人だってことを、告白しなければならないのだから。

「まあ、返事はあしたでいいや。見だしを考える役のほうは、ひきうけてくれるだろ？　そりゃ、たんまりお礼を、とまではいかないがね。なんとかするから」

「ああ、やってもいいけど……」

　と、これもあいまいな返事をして、私は腕時計をのぞいた。中沢は、襁褓袋《おしめぶくろ》というあだ名がついている古かばんへ、私の領収書をしまいこみながら、

「時間を気にして、ご婦人のお客さままでもくるのか。だったら、安心しろよ。おれはもう帰るから」

「そうじゃないよ。《侏羅紀》の編集会議があって、顔をださなきゃならないんだ」

「あの同人雑誌に、まだかかりあってるのかね。純文学をやるんなら、とにかくだぜ。推理作家が、ただの原稿を活字にして、よろこんでるなんざあ、さまにならないよ。小説ができたら、ひっこみ思案をやめにして、売りこみに歩くんだな」

「それくらい、わかってるさ」

「そうか、そうか。同人のなかに、きみのシナラがいるんだったな。しかし、有紀子さんは結婚したんじゃなかったのか、製薬会社の社長と」

「研究所長だよ」

「どっちにしても、彼女の誕生日に、ミモザの花束かかえてさ。年に一度の結婚申込には、いけなくなったわけだ。けれど、きみにとっちゃあ、依然としてシナラなんだから、同人雑誌の縁は、つないでおきたいんだな。それなら、文句をいうすじはない。むしろ、珍重すべき心情だよ。あんな色気のない女、おれにはどこがいいのか、わからないけどさ」

有紀子のことを、シナラにたとえた張本人は、阿部君だ。いまどきアーニスト・ダウンなぞは、はやるまい。だが、シナラというのは、千九百年に三十三歳で若死にしたこのイギリス抒情詩人の、代表作にうたわれた女性なのだ。矢野峰人訳の『われはわれとてひとすじに恋いわたりたる君なれば、あわれシナラよ』という一行は、ほとんど私の口ぐせになっている。有紀子のこころがどうであろうと、私は私なりに愛しつづける、というわけだが、ロジェ・ヴァイアンのような現代作家にいわせると、『ものにしなかった女にいだく執念を、愛とは呼ばない』そうだから、からかわれてもしかたがない。
三月三十一日の誕生日にきめていたわけではないし、花束なんか持っていったことはないが、これまでの七年間、一年に一度だけ、口にだして求婚してきた。それも、肉体のほんの一部分が満足すれば、恋愛だと思っている連中にいわせたら、馬鹿馬鹿しいを通りこして、狂気の沙汰であるかも知れない。

私は中沢といっしょに、おもてへ出た。編集会議の時間には、まだじゅうぶん余裕があったが、有紀子のぶじな顔が見たくて、私のこころはせいている。それなのに、陰気な原色を氾濫させた駄菓子屋の前で、中沢は立ちどまった。どぶ泥いろの羽目板に、洗いざらしの腰巻みたいな、ポスターが貼ってある。電車通りの小便くさい映画館で、今夜ひと晩だけやるストリップ・ショウの広告だ。〈金髪ヌード来演!! ウキウキ・ズキズキ・ストリップ！／ミス・ロリータ嬢／マドモワゼル・ハッピー嬢／みんな見せます／バナナかませます／タバコ吸わせます〉なぞと、不揃いな書き文字がひしめきあったまんなかに、雑誌の写真をむりやりひきのばしでもしたのだろう。日本人でないことの辛うじてわかるヌードが、鄙猥《ひわい》なポーズをとっていた。

「おもしろいな。ミス・ロリータ嬢ってのが、いいじゃないか。マス・コミにも敏感なところを、見せたつもりなんだぜ。バナナも、タバコも、勘ちがいしたほうが悪いって書きかただが、なんとなく、笑えるねえ。写真にとっとこうや」

中沢はひとりでよろこんで、襁褓袋からカメラをとりだすと、

「こういうおかしな広告をあつめて、記事にしようと思ってるんだよ。うちの近所の電信柱に、質屋の広告が出てるんだが、〈赤字をしのぐやりくりの花〉って、キャッチ・フレーズが、ついてやがんのさ。あたまをしぼったんだろうな、これ。きみもなんか見つけたら、教えてくれよ」

「ああ、わかった」

私は生返事をした。中沢が何枚も写真をとるあいだ、襁褓袋をあずかって、ぼんやり通りを眺めていた。豊島ガ岡を見あげるこの谷あいのアスファルト道は、かなりひろい。天鵞絨《びろうど》のような春の陽ざしも、ぞんぶんにふりそそいでいるのだが、雑然と棟をならべた屋根瓦のいろは、なんとなく冴えず、それが、貧乏の澱《おり》をいちめん、かぶっているせいみたいに、私には見えた。

五、六年前にも、私はここに半年ばかり住んでいたことがある。結婚した有紀子と、つかず離れずのところに、暮したいと思って、気ごころの知れたこの町へ、舞いもどったの

だが、むかしにくらべて、大通りの商店はモルタルでドーラン化粧をし、ガラス・ケースをぴかぴか光らせたところが多く、私がよく利用した左翼系の診療所まで、近よりにくいスマートさに変っていた。そのかわり、貧しさの活気といったものが、いくらか失われたようにも思われる。もちろん、何年たっても変りばえのしない私の、それはひがみでもあり、偏見でもあろうけれど。

中沢は私から襁褓袋をうけとって、カメラをしまうと、分厚い角封筒をとりだした。

「ああ、こいつを渡しておこう。《サンドリエ》事件の記事の切りぬきだ。各紙そろってる。後藤のかみさんの写真も、手に入れといた。ちょいとした美人だぜ」

私は、封をひらいてみた。手札型のなかにとじこめられた女は、まだ若い。模様編のカーディガンを寝巻みたいに着て、皮膚の厚そうな丸顔をしている。こういう肉体とむかいあったら、即物的《ザッハリッヒ》な連想しか、だれしも浮かんではこないだろう。

「裏を見ろよ」

と、いわれて、ひっくりかえしてみると、山岸とよ子、と書いてあった。

「それが名前だよ、細君の。内縁の夫婦なんだな」

私はその封筒をあずかって、中沢とは大塚仲町の交叉点でわかれた。安藤坂上まで都電でいって、ひろい通りを歩いていくと、つきあたりは、石柱だけで、扉のない伝通院の山門だ。大きな境内は、整然と敷石がならんでいるだけで、きれいさっぱり、なにもない。じかに空と馴れあっているこの空間が、私は好きで、このときも通りすがりに眺めわたすと――本堂にむかって左のすみに、『雑然と鷺はむれつつおのがじしあなやるせなき姿なりけり』という、古泉千樫の歌碑が建っている。その前に、女がひとり、こちらに背を見せて、たたずんでいた。無造作にひっかけた千鳥格子《ピエ・ド・プール》のハーフ・コートに、長い髪を垂らしているのが、ふと有紀子を思わせる。

あともどりして、横顔をたしかめてから、こちらも境内へ入っていった。

「こんなところで、なにをしてるんだい？」

「もう編集会議の時間かしら」

有紀子は私を見おろしかげんに、その返事は、さっきからずっといっしょにいたみたいな自然さだった。身長百六十二*cm*の有紀子にくらべて、六、七*cm*私は低い。生れが昭和三、四、五年で東京育ちの、つまりはのびざかりを、敗戦直後の栄養失調時代にすごした人間の、これは烙印《らくいん》みたいなものなのだが、そのせいで、私を夫にえらぶ気がしないのではないかと、どれほどひがんだことだろう。

「ぼくが一番乗りだろうよ。ちょうど客がきたんで、いっしょに出てきたんだ」

と、私がいうと、有紀子はまっすぐ山門にむかって、歩きだしながら、

「あたしって迂闊《うかつ》ね。こんな碑があるの、ちっとも知らなかったのよ」

私たちが淑徳学園の前を、くだりにかかったところで、背後に駈けてくる足音が聞え、ふりかえってみると、小早川順二だった。

《侏羅紀》の同人は、ぜんぶで八人。小一時間かかって、顔がそろった。編集会議のもようを、くだくだしく書いても、はじまるまい。次号の巻頭に、すえることになった有紀子の詩だけ、写しておこう。題を『黄色い季節』という。

せぞん・じょおぬ
黄色い光がわたしをくるしめる
ドアはあなたの掌のように
こわばって　ふるえて……
いぎたない季節は身をよじらせ
熱い花の匂いをただよわせる
寒い悩ましい国からたどりつき
ノッブをしきりに愛撫するあなた
あなたの嘘を

ドアの隙間にすべりこませてほしい
ぶつくさ立ち去る郵便配達夫のように

正直なところ、こういう新しい詩は、よくわからない。しかし、身びいきかも知れないが、悪くはないように思う。ちょっと見の有紀子からは、想像のつかないていの作品だけれど。

有紀子がどんな女なのか、描写しておくには、いまがいい機会だろう。といっても、私にはぜんぜん自信がない。考えてみると、もう七年、いや、八年になるかも知れない。それだけつきあっていて、気ごころは知りつくしているつもりでいたが、つもりはついにつもりでしかなく、なんにもわかっていないようにも、思えてくる。

昭和七年の生れだから、今月末で、もう有紀子も二十九だ。雪国の出生で、皮膚が水のように白く、富士額にある多少のそばかすも、気にならない。眉が濃く、頬骨のやや高い顔立ちは、古風な日本人の型だが、いくらか口が大きめで、目も活潑に表情があふれている。前にもいったように大柄で、自分では「足が太くて、いやんなる」そうだけれど、いわゆる着瘠せするたちなのだろう。それに、なで肩のせいもあって、印象はむしろ、ほっそりしている。色気のない女だ、という中沢の意見には、紅いばかりが花ではない、と答えるか、さもなければ――そうだ、さっき渋谷の古本屋で買ってきた《プレイボーイ》誌の千九百六十年、つまり去年の八月号を見せてやろう。しゃれた小説と、しゃれた漫画と、しゃれた流行記事と、しゃれたヌード写真を、しゃれた割りつけでおさめたこのアメリカの男子専用雑誌の、この号の七十三ページの右はしに、ソフィア・ローレンの椅子に横がけした写真が、カラーで載っている。典雅《エレガント》で性的《セクシー》なポーズを、という注文にこたえた写真だそうだけれど、あの大柄なイタリア女が、細くしまって、古典的な翳《かげ》をただよわせているところ、私は有紀子に通じるものを見た。といったら、それこそ惚れた欲目というやつだ、と中沢は笑うだろうか。ことにきょうの彼女は、黒いタートル・ネックのスウェーターに、黒いタイト・スカート。写真のソフィアとおなじ黒ずくめで、若わかしく見えたせいかも知れないが……この女を、だれかが殺そうとしているのだ。そう思うと、腹が立って、腹が立って、私はじっとしていられなかった。

玄関おくの洋間で、編集会議はおこなわれた。この家は塚本の先先代が明治のすえ、高輪《たかなわ》へんに建てた西洋館を、敗戦後、解体してここに移し、補強して建てなおしたもので、敷地の関係から、だいぶ小さくしたそうだ。だが、玄関には、フランスから取りよせたシャンデリアが、いまもマホガニイの腰羽目を光らしている。私たちがあつまった洋間は、まわり階段の下の、ふだんつかっていない小さな部屋だった。有紀子の好みで、エドヴァルド・ムンクの石版画『叫び』とアルフレッド・クービンのペン画『自殺』が、輸入版の複製で左右の壁にかかり、正面の窓の上には、テレーズ・レ・プラの撮ったアラン・キューニイ（ルイ・マル監督のフランス映画『恋人たち』にでた、雷おこしみたいな顔の渋い俳優だ）の肖像写真が、ドアの上には、顔じゅう霜焼で腫れあがった鬼みたいな、舞楽面《納曽利《なそり》》のプラスコピイが、かかっている。だから、ふつうの客は、ちょっと通せないだろう。

そこにテーブルをかこんだ八人のうち、私と有紀子をのぞいた六人は、のこらず容疑者といっていい。塚本稔、紅林明、小早川順二、会社員の川上卓爾《たくじ》、紙屋の息子の新島正夫、大学生の中久保夏彦、といった顔ぶれ。このなかのだれが、有紀子の命をねらったのか。ギもっとも、可能性のある人間は、これだけではない。この家には、女中がひとりいる。ギヤレジの二階には、中年の運転手がすんでいて、子どものないその細君は、家政婦も兼ねている。ほかにも有紀子の、私には興味のない同性の友人も出入りするし、稔の仕事関係の客もあるはずだ。

これを限定するには、動機の面から推理していくのが、いちばんだろう。

その前に、毒薬の問題がある。話は飛ぶが、塚本の家を出てから、中野のすがぬま薬局へ、私は電話をかけてみた。分析はすんでいて、薬剤士がふつうＡＰＣ（Ａはアスピリン、

Pはフェナセチン、Cはカフェインだそうだ）と呼んでいる、ごくありきたりの風邪薬だった、という。テトロドトキシンは、私がちょろまかした一服だけに、入っていたのだ。

推理小説はできるかぎり、偶然を排さなければならない。だが、現実はこんなにも、偶然に支配されるものなのか。それが私を殺人犯人にし、有紀子を不自然な死からすくった。怨めしくもあるし、その何倍か、ありがたくもある。ふと思いついて、私は聞いてみた。

「テトロドトキシンって、毒薬があるらしいね。あれは、ポピュラーなものなんですか。つまり、比較的、簡単に手に入るか、どうかってことが、問題なんだけれど。特殊であればあるほど、しめたものなんでね」

「ははあ、小説につかうんですか。そうですねえ……あいつは、神経痛なんかの痛みどめになりますんで、たしか以前は、製品になってた、と思うんですがね。いまはないようですから、まあ、特殊といっていいでしょうねえ。製薬会社の研究所とか、医大の薬理室なんかには、あるはずですが」

塚本稔ならば、手に入るわけだ。毒薬の入手経路だけに重点をおけば、彼が第一の容疑者ということになる。けれど、塚本は馬鹿ではない。慎重な男だ。まるで羅針儀の針みたいに、ぴたりと自分をさししめす、こんな特殊な毒薬を、しかも、自分で調剤した風邪薬にまぜて、自分の妻にあたえるような見えすいたまねは、するはずがない。そう思われることを狙って、わざと単純にやった、という裏がえしの効果は、現実に適用するに、あまり危険が多すぎる。万一、そうであるとしたならば、当然、有紀子が死なずにいて、薬のなくなっていることを、塚本は気にするだろう。それが、私の手にわたったことを、有紀子はなんの警戒もなく、喋るにちがいない。とすれば、彼は私に対して、なんらかのさぐりを入れてくるはずだ。けれども、ついに、なんのそぶりも見せなかった。

いっぽう、動機の面を考えてみると、有紀子に財産などはないし、多額の生命保険がかかっているとしたら、問題は受取人だ。けれど、まずは亭主の稔だろうし、それを必要とするほど、経済的に彼が困っているとは思えない。だから、動機は金銭以外の、いやな言葉だが、痴情怨恨とすべきだろう。となると、私はだれを警戒したらいいか、見当もつかない。さしあたって私のしごとは、有紀子の身辺に目をくばって、その円周内へ近づく人間の、心理を見ぬくことだろう。

編集会議を解散してから、紅林、川上、新島の三人と、タクシーで銀座へでた。酒場へさそわれたのをことわって、尾張町でおろしてもらい、すがぬま薬局へ電話をかけてから、地下鉄で渋谷へいった。道玄坂の下を、恋文横丁のほうへちょっと曲ったところに、洋書専門の古本屋がある。そこで、中沢のところに書くねたに、実話雑誌を四、五冊と、目についた《プレイボーイ》を買い、帰りに新宿へまわって、《サンドリエ》をのぞいた。日曜のせいか、常連は鶴歩先生と千野さんしかいない。秋山氏とすこし喋っただけで、下宿へとんで帰り、この手記を書きつづける。

三月六日　月曜

時計を見ると、午前五時ちかい。露地をへだてたとなりの家で、ひとの起きでた気配がする。近所が目をさましはじめると、いつもこちらは、目をあけていられなくなるのだが、きょうはすこしも眠くない。ひさしぶりに、完全徹夜ができそうだ。編集会議のあと、塚本の家でいつものように夕食が出て、ロースのバタ焼をしこたまつめこんだから、エネルギが蓄積されたのかも知れない。日附をあらためて、この手記をしばらく書きつづけ、それから《告白》の原稿にとりかかるとしよう。《ギルティ》の翻訳は〆切が十日だし、一週間は待ってもらえるから、あわてることはない。

いま、お膳の上には、編集当番と関係なく、いつも私が割りつけをまかされる《侏羅紀》の原稿が、左のはしに積んである。いちばん上の一枚は、有紀子の詩だ。その右がわには、前にいった《プレイボーイ》の八月号が、七十三ページをひらいて、おいてある。右のゆびさきを頬にあて、くちびるの両はしをかすかにつりあげて、閑雅に微笑しているソフィア・ローレンを見ていると、私はいても立ってもいられなくなる。この瞬間に、有紀子は殺されているかも知れない。彼女は完全に無防備なのだ。雑誌の活字を貼りあわせて、殺人予告の手紙でもつくり、塚本の家と、富坂警察署へ送ったら、どうだろうか。いたずらだ、と思うかも知れない。だが、いちおうは警戒してくれるだろう。けれど、それを持続させるためには、一定の期間をおいて、私は鋏を鳴らし、アラビア・ゴムに指をねばつかせて、警告状をつくりつづけなければならない。つまり、私ひとりが、精神を緊張させつづけなければ、ならないわけだ。いまでこそ、張りつめたこころで、きのうからきょうにかけても、また五十枚分ぐらい書いてはいるが、いつまで持ちこたえられるか、自信はぜんぜんない。

これが、現実の事件の記録ではなく、私の創作であって、しかも、こんなに調子がのっているのだったら、どれほど得意なことだろう。貧しい作家の生活記録の上に、事件の進行を二重焼していって、そのあいだに恋の回想を綯《な》いまぜれば、わたくし小説でもあり、本格推理小説でもあり、恋愛小説でもあるユニークな作品が、できあがる。欲張りすぎるかも知れないが、処女長篇にはふさわしかろう。そして同時に、これは私の、絶筆になるかも知れない文章だ。有紀子という女を、どのように知り、どのように愛したかを、ぜひともここに織りこんで、残しておきたい。

といっても、それは私に余裕があるからではない。この手記を読んでくださるかたに、おねがいする。そんな想像から、この記録にうそいつわりがあるなどと、思わないでいただきたい。切羽《せっぱ》つまって、どうしようもなく、あせっているからこそ、連想のおもむくままを書きつけて、私は気を鎮めているのだ。こんな精神状態になっているのも、もとはといえば、前にいった大きな偶然のせいなのだが、おなじ偶発事であるにせよ、私が後藤にのませたのはAPCの風邪薬であって、同時にだれかがテトロドトキシンを投じたのであったなら……。

待ってくれ。私は早合点していたのではないか。九服の薬のうちの特定の一服を、手にする可能性があったのなら、いま考えたようなことが、ないとはいえない。これは追究してみる価値がある。そうだ。中沢に原稿をわたすとき、きのうの申出をひきうけることにしよう。冷静に考えてみれば、あの場合には、三つの可能性があったのだ。

Ⅰ　私の投じた風邪薬が毒薬であった。

Ⅱ　後藤が自分で毒をのんだ。

Ⅲ　私以外の人間が毒薬を入れた。

この三つのうち、第二の場合で気になるのは、自殺をするなら、ほかにいくらでも、静かな場所があるだろうに、なぜ喫茶店を選んだか、ということだ。けれど、死を決意した人間の心理状態は、常識ではわりきれないものだろう。ゆうべ買ってきた実話雑誌にも、アメリカにおける自殺増加を問題にした記事があって、そのなかに異常な例が、いくつかあがっていた。頭には婦人用の海水帽をかぶり、顔にはおしろいを塗り、眉を書き、アイシャドオを入れ、くちびるにルージュをさした上、全裸になって、足には娼婦のはくような黒のストッキング、という異様なすがたで、鎖をつかい、首吊自殺をした四十男がいるという。ある警官は、親しい肉屋の冷蔵庫のなかで、両足をバンドでしばり、手には手錠をはめた上で、ごていねいにも、拳銃を口にくわえ、後頭部をふっとばして、死んだそうだ。この場合には遺書があったが、中年すぎての自殺は、原因不明のものが多い。奇妙な例ほど、なにも書きのこさない、ということだし、そんな記事を持ちだすまでもないだろう。げんに《サンドリエ》では、九年前にも自殺事件があった、というではないか。

第三の可能性は、あまりにも偶然がはたらきすぎて、どうも気になる。私は推理長篇を書くならば、ジョン・ディクスン・カアみたいに、＊ここで彼女が、若い娘らしくもない大あくびをしたのは、ユーモラスな効果をねらって書いたものではないから、読者はあざむかれてはならない、とか、＊いま作者が、遠くの団地のベランダで、風船を空に逃がして泣いている子どもを点出したのは、ひとなつかしい黄昏《たそがれ》の、単なる風景描写のためではないから、読者はあざむかれてはならない、といった註を、要所要所にちりばめて、大い

に唸らせたいほうなのだ。けれど、考えてみれば、私が推理小説に病みついたのも、売文

稼業に足ふみこんだのも、有紀子と知りあったのも、愛するようになったのも、すべては偶然だったではないか。

そのとき私は、《サンドリエ》のおくのテーブルで、中沢への伝言を書いていた。足かけ八年ばかり前。まだ紀伊国屋わきの新星館前に、店があったころだ。当時、中沢は小さな推理小説の雑誌の、編集長だった。ワイシャツの袖まくりをして、上衣を椅子にかけていた記憶がある。だから、たぶん夏のはじめだったろう。ななめ前のテーブルに、紙切ナイフみたいに折目の立った細縞の背広の、帽子をかぶった男とむかいあって、二十一歳の有紀子が、すんなり腰をかけていた。男はしきりに話しかけるが、彼女はうなずくか、首をふるか、短い言葉を返すばかりだった。ふたりの声は低かったが、私にはあらかた聞えた。

どうしてそんな、気障っぽいまねをする気になったのか、いまだにわからない。だが、私はメモ用紙に、〈お困りならば、お役に立ちます〉と書いて、四つに畳み、ふたりの——というよりも、男のお喋りのとぎれるのを待った。

「またにしましょうよ」

という有紀子の言葉で、話が一段落したとき、私は腰をうかした。

「失礼ですが、あなたじゃないか、と思うんだ。しばらく前に、ここへきた男のひとから、伝言をあずかってるんですが、お名前は？」

「杉田ですけれど」

悪びれない口調で、彼女は答えた。

「やっぱり、そうだ。じゃあ、これ」

私は畳んだメモ用紙をわたして、椅子にもどった。有紀子は長い首を軽くかしげて、紙片をひらいた。しばらく一行の文章を見つめていたが、急に私をふりかえると、

「ここに書いてあるお店、ご存じじゃありません？」

と、手をのばしてきた。自分の書いた文字を読みなおして、私はあわてた。でも、懸命に調子だけはあわせて、

「ええ、ええ、わりあい近くですが、なんなら、ご案内しましょうか」

「すみません。おねがいできましたら」

数珠《じゅず》をあつめてつくったようなハンドバッグを、さらさら鳴らして、有紀子はさっさと立ちあがると、呆気にとられている帽子の男に、小腰をかがめた。

「なにか急用があるそうですから、これで失礼します。いろいろ、ありがとうございました」

外へでると、もう黄昏で、ネオンが手近な空をいろどりはじめていた。大通りのひとごみにまぎれこんでから、

「どうも、ありがとう」

と、有紀子はいった。

「よけいなことを、しちまったんじゃないですか。ほかにも、ボーイフレンドがいるような印象を、あのひとにあたえてしまったようだから」

「かまわないんです。食事してから、踊りにいかないかって、さそわれて、困ってましたの。あのひと、お友だちの兄さんなんです。映画にさそわれて、お友だちもいっしょのはずだから、いってみたら、妹は風邪でこられないっていうんですの。おかしかったわ。だって、指定席の両どなりには、ちゃんとお客さんがいるんですもの。あのひと、しまりやなのかしら。それとも、迂闊《うかつ》なのかしらね」

「ずうずうしいんでしょう。こんど、お友だちにあったら、とっちめてやるんですね」

「それは、かわいそうだわ。お友だちには、いいお兄さんなんですもの」

私は調子にのりすぎたのを恥じて、黙りこんだ。

「どこのお店へ、案内してくださるの？」

「え？」

「そんなこともないでしょうけど、あのひとが興味を感じて、ついてきてるかも知れないわ。まだあそこにいるとしても、あなたがここで帰って、顔をあわせたら、気まずいでしょうし……」

さっきの義侠心が附焼刃なのを、見ぬいた言葉のように、私には聞えた。

「だから、どこかへつれていってください。つけてきても、入ってこられないような、小さなお店がいいわ」

「それじゃ、《モーリ》の横の露地に、おあつらえの店がある。袋小路のつきあたりだし、ドアをあけたとたんに、店じゅうが見わたせるせまさだから」

私は大通りを三越のがわにわたって、有紀子を《青蛾》に案内した。彼女はそれまでにもなんどか《サンドリエ》へきていたから、顔を見たのは最初ではなかった。だが、言葉をかわしたのは、このときがはじめてだった。そのころの有紀子は、いまよりいくらか瘠せていた。

七時半ごろに、手記を中断して、中沢にわたす原稿にとりかかった。ゆうべ選んでおいた材料を、ろくに考えないで書きはじめる。犯罪実話といっても、イギリスでいえばウィリアム・ラフヘッド、エドガー・ラストガーテン、（ジョン・ディクスン・カアご推薦の新人）、ジョン・ウィリアムズ。アメリカでいえば、（ピュリッツア賞受賞の）ジョン・バートロウ・マーティン、ウィリアム・ブラッドファド・ヒュウ、エドワード・D・レイディンといった有名な犯罪実話作家の作品は、種本にすれば信頼性もあり、興味もあるものができるにきまっているけれど、私は避けることにしている。版権問題が起って、出版社に迷惑をかけたら、たいへんだからだ。なるたけ低俗な実話雑誌から、信用できそうもない話を選んで、わざと細部をちがえて書き、写真はべつの雑誌から、適当に切りぬいて、つかってもらうことにしている。しちめんどくさいことをいえば、こういう雑誌の現場写真は、死体になりつけているモデルと、殺し場の演出のうまいカメラマンによって、創作されたものがほとんどなのだから、やはり版権問題にひっかかるわけだが。

ほかの実話作家みんながそうだ、とはいわない。けれど、いつか私の知ってるひとが、一流の娯楽雑誌で評判のよい秘境物語の記録的記述を、有名な翻訳家の書いたものだから、事実だろうと拝借して、自分の作品につかったところ、私の創作を盗用するとはけしからん、という内容証明の抗議状が、それを掲載した雑誌社に、舞いこんだという。さきごろは、ある一流週刊誌の海外犯罪実話に、原爆スパイ事件の犠牲者、ローゼンバーグの獄中写真が、ギャングの親分の顔として、つかわれていた。それやこれやで、私は気が楽になり、現在の方針を堅持している。きょう書いたのは、アメリカ南部の小さな町で、十八歳の少年が、姉夫婦の一家三人と、その隣人の一家四人を惨殺した事件だ。尊敬していた姉が、不貞をはたらいていたのを発見して、激怒のあまりやったという。当の姉だけでなく、気がつかずにいた義兄や隣人たちまで、殺しておきながら、不貞の相手は見のがした、という動機とその現れかたに、私は興味をひかれたのだ。被害者のかずを十一人にふやして、まず犯行を描写し、あとから動機を説明するいきかたをとって、少年（齢を十七歳に変えた）が不貞の現場を目撃する場面を、とちゅうに回想形式で入れ、そこまで書いたら、十七枚だった。

徹夜あけの澱《よど》んだ頭で、真昼の情交を、風にあおられたカーテンの隙間から、さしこんだ陽の光に、腿のつけ根が一瞬、金色にかがやいた、などと、あざとく描写していたら、とたんに馬鹿らしくなって、私は畳にあおむけになった。そこへ、日本画家の滝口がたずねてきた。

「珍しいな。まだ寝てるかと思ったら」

「徹夜をしたんだ」

「猫の舌に釘をうて」の束見本と、《プレイボーイ》を、あわてて本棚にしまいながら、私は答えた。

「すると、もうめしはくっちまったな」

滝口は、五段梯子という変った定紋の羽織に、仙台平の袴をつけている。金がなくなると、人間は元気もなくなって、往来を歩くにもいじけがちだ。こういう時代遅れのかっこうをしていれば、ひと目に立つから、胸を張らざるをえない、という建設的意見に、もとづいた正装だった。

「こういうとき、めしをくうと、とたんに胃を悪くするんでね。軽くパンをくっただけだ。まだ残ってるが、よかったらくえよ。金も千円ぐらいなら、都合できるぜ」

「ありがたい。早起きをしたかいがあったよ。幸さきがいいぞ」

「ほかにも、用があるのか？」

「うん、じつはね」

ゆうべ渋谷で買ってきた練チーズと、グレナディーン・ジャムを、パンにたっぷり塗りつけて、大きくひと口、嚙みちぎってから、

「こないだうち、やっていたテレヴィのテロップの仕事がとだえてしまって……」

と、滝口はもそもそいう。

「糧道を絶たれたわけか。また首吊の絵でも、かいたんだろう」

この男の貧乏は、技術がへたで、感覚もにぶいからではない。日本画のシュルレアリスムを標榜していて、一部では大いにみとめられている。けれど、いつかも《サンドリエ》

で、マッチのデザインを頼まれたとき、あぶなっかしく積みあげたＣＥＮＤＲＩＥＲという活字を踏台に、首を吊ろうとしている老人を書いて、秋山氏を仰天させた。万事がその調子で、私も商売のうまいほうではないが、滝口はそれに輪をかけている。

「そんなわけで、ひとつ絵を売りたい、と思ってさ。きみは顔がひろいから、どこかへ縁づけてもらえないかな。おれがまともにかいたら、売れないのはわかっている。だから、北斎ばりの春画をかいてみたんだけど」

滝口は、戸口においた風呂敷づつみを、ひきよせた。画狂老人葛飾北斎の秘戯図といえば、荒磯の岩かげで、大蛸に犯されている海女だとか、渦巻く雲のなかで、雷神にだかれている天人だとか、意表をついた取りあわせが多いはずだ。それに感奮《インスパイア》されて、滝口がかいたとすれば、いつもよりグロテスクが、徹底しているにちがいない。徹夜あけに、そんな芸術を見せられては、衛生によくないから、私は手をふった。

「そんなもの、無理して売ろうとしないほうがいいんじゃないかな、きみ自身のためには」

「春画だからって、おれの芸術を堕落させるようなものは、かかなかったつもりだがね。まあ、見てくれよ」

「それより、ここでサンプルを一枚かけないか。ぼくらがやっている《侏羅紀》って同人雑誌、知ってるだろう。あれの表紙に、絵をつかいたいって話が、きのうの編集会議で出たんだ。きみは、クービンの『自殺』ってペン画、見たことあるかい?」

「オーストリアの表現派の画家だな。雨にまじって、人間の首がたくさんふってる『首の雨』ってのは、知ってるよ。おれは好きだがね。『自殺』ってのは――」

「頭蓋骨を積みあげたピラミッドのようなものがあってね。それに扉がついてる。そのまんなかを、妙なクレーンみたいなやつで宙吊りにした巨大な拳銃が、ねらってるんだ。ピラミッドに背をむけて、拳銃のななめ下ぐらいのところにね。小さな椅子にかけた小さな人間がいる。それが、うなだれながら、拳銃の引金をひく装置の紐を、ひこうとしている絵なんだよ」

「ふうん、おもしろいな」

「きのう有紀ちゃんが、クービンみたいな絵をかく若いひと、いないかしらって、いってたんだ。きみの顔を見て、思いだしたよ。サンプルをかけば、紹介するぜ」

「しかし、きみのところには、墨も、紙もないだろう」

「画用紙にマジック・インクで、いいさ。日出町の商店街に、文房具屋があるから」

私は金をわたした。滝口が出ていったあと、また実話を書きつづけた。三枚ばかりこなすと、紙づつみを手に、いよいよ八幡さまのお札配りみたいに見えるのが、おでこの若禿を汗ばませて、帰ってきた。

「畳の上でかけるか？　この原稿、ゆうがた中沢にわたさなきゃならないんでね。お膳をあけわたすわけに、いかないんだ」

「ああ、大丈夫だ。なにをかこう」

「なんでもいい、べつに制約はないんだから、きみのかきたいものをかけよ」

日本画家に背をむけて、私は実話を書きつづけた。興ざめした原稿を、書きつぐくらい、あじけないことはない。だが、滝口をつれていく、という口実ができて、これを書きあげたら、電話だけでなく、有紀子の安全をたしかめにいける、と思うと、惰性ながら、私の万年筆は順調に走った。しばらくすると、うしろで画用紙をにらんでいたらしい滝口が、声をかけてきた。

「サンプルだけなら、おれの持ってきたやつでも、いいんじゃないかな」

「馬鹿いえ。有紀ちゃんのところへ、つれてくんだぞ」

「彼女なら、春画ぐらいにゃ、おどろかないよ。そりゃあ、かかないとはいわないけどさ。有紀子さんというと、たしか金持のお嫁さんになったんだろう？」

「だから、きみを売りこもうというんだ。塚本稔を知ってたかな？」

「一、二度あったことがあるぜ。塚本といえば、後藤さん、気の毒なことしたな。きのう刑事がおれんとこへもきたよ」

「刑事が……村越って警部補じゃないか？」

私は万年筆をおいて、滝口にむかいあった。

「そうだ。村越って名だよ。警官もたいへんだな。日曜日まで仕事じゃあ。まだ自殺か他殺か、はっきりしないんだそうだ」

「どんなこと、聞いた？」

「後藤さんのことさ。あまり役に立たなかったようだな、ぼくは。村越警部補、がっかりした顔つきだったから」

「きみはあまり、後藤とお喋りはしなかったからね。もっとも絵のことしか、きみには話がないんだから、無理もないけど」

「ところが、そうでもないんだ。あれで後藤さん、骨董に凝ったむかしも、あるらしいぜ。円空上人の一刀彫なんかも、去年、鎌倉の近代美術館で展覧会をやったり、ことし、美術雑誌で特集をやったりして、ちょっと騒がれたけど、後藤さんはずっと前に見てまわったことがあるそうだ」

「へえ、そんな面があるとは、知らなかった。やっぱり、以前は遊んで暮してたひとなんだな」

「でも、多少なりとも知ってるひとが、急に死ぬってのは、いやなものだね。あのとき、おれは区役所のほうから歩いてきて、かどの中華そば屋へ入ろう、と思ってさ。《サンドリエ》の前を、すどおりしたんだ。そのときにゃ、後藤さん、店の前でだれかと話してた。それが、戻ってみると、もう死んでたんだからなあ」

「ちょっと待った。その後藤さんが話をしていた相手ってのは、黒い革ジャンパーの若い男だろう」

「うん、植木屋みたいなあたまをしたやつだ。あのへんの地まわりみたいな感じの」

「そいつと後藤があってたこと、警部補に話したか？」

「ううん。話したほうがよかったかな」

「よかったかも知れない。ぼくはあした、村越にあうつもりだから、そのとき、話してみよう」

　その後の捜査のすすみぐあいを、村越警部補に聞く。私はそこから、《週刊告白》特別記者としての活動を、はじめるつもりだった。

　一時間半ばかり、滝口を待たしておいて、実話を書きあげた。けれども、題がうまくつかない。苦しまぎれに『二十分で十一殺、恐るべき十七歳アメリカ版』とつける。その原稿を大きなクラフト紙の封筒に入れて、羽織袴の日本画家といっしょに、おもてへ出た。

とちゅうで電話を、二回かけてみた。だが、二度ともお話ちゅうだった。けれど、家にはいるらしい。前ぶれなしに押しかけることにして、都電にのった。

塚本の家へつくと、滝口は玄関においてある鸚哥《いんこ》アナナスの鉢を、珍しげに眺めてから、壁をゆびさして、

「なんだろう? おもしろいものが、ぶらさがってるな」

大きな松毬《まつかさ》のうろこみたいなところが、一枚一枚、あざやかな黄いろや赤に染って、のびのびとひらいたような、といおうか、美しい鸚哥が花に化けたような、といおうか、ブラジル原産のブリエシヤ・カリナータが、絢爛と水苔植えになっている鉢のまうえに、えたいの知れない古びた飾りがぶらさげてある。色とりどりの房がさきについた、三すじの細綱のとちゅうに、人間の目がひとつずつ、極彩色でかいてある皮の円盤がふたつ、縦にならべて、とりつけてあるのだ。

「たしか望子《ワンズ》といったな。中国の看板だよ。といっても、招牌《チャオパイ》っていう、文字で読ませるのとはちがって、こっちは望んで知る——つまり、見ただけでわからせよう、というんでね。これは目薬屋のだそうだ」

と、私が受売の説明をしているところへ、有紀子が出てきた。きょうも黒っぽい和服すがたで——ああ、無事だったのだ。

「なによ、瑛一さん。花聟さんのおつきそいみたいじゃないの」

「きのう、表紙絵の話がでたろう。滝口君なら、もってこいなんじゃないかと思って、つれてきたんだ」

「しばらくね、滝口さん。お元気？　どうぞ、おあがりになってよ」

有紀子はさきに立って、足袋の白さも爽かに、階段を二階へあがった。滝口は下駄ばきだから、私より早くあがって、そのあとにつづきながら、

「からだも健康、意気も軒昂。ふところだけが、失意落胆してますよ」

と、レースの茶羽織の背なかにいったが、踊り場で足はとまった。

「ここにも、円空があるね。こいつはたしか、岐阜の蓮華逢寺にある菩薩像だったな」

なるほど、そこの白い壁に、実竹のふちを細くつけた縦長の額が、かかっている。ささくれた薪ざっぽのさきに、でっかい団栗《どんぐり》をのせたみたいな、ひょろひょろの仏さまの写真だ。稚拙な表情がユーモラスで、ひどく人間臭い。

「だれがとった写真だか、知らないけど、ずっと前から、うちにあったのよ」

と、階段の上から、有紀子がいった。

戸崎町の家なみを見おろす明るい洋間に、私たちは通された。部屋のすみに、黒い城のようなステレオがすえてある。その上に、デンマークのフレンステッドがデザインしたモ

ビルが、天井からさがって、ゆれている。黒い厚紙を大小の同心円に切りぬいて、小さな赤い玉を中心に、組みあわせたものだ。『サイエンス・フィクション』という、しゃれた名がついている。ステレオのスピーカーからは、アイザック・スターンのヴァイオリンが、壮麗に響いていた。有紀子の好きなレナード・バーンスタインの、『プラトンの饗宴によるヴァイオリン・ソロと弦楽器と打楽器のためのセレネイド』だ。そのヴォリュームを低くしてから、窓ぎわのフレンチ・テーブルに、有紀子はすわった。私たちも、鍛鉄針金でつくったグリーンウッドふうの椅子を、すすめられた。薄い鋼板のテーブルの上には、五十cm平方くらいの市松模様の板が敷いてある。大小の円筒を、少しずつ角度をちがえて、斜めに切ったようなものが、黒白とりまぜて、およそ三十、その上にならべてあった。私は腰をおろしながら、

「なんだい、これは？　西洋将棋みたいにならべてあるけど」

と、それをゆびさして、聞いた。

「そう、イヴ・タンギイのデザインした駒を、まねしてつくらせてみたの。ちょっといいでしょう？　きょう出来あがって、届いたばかりなのよ」

「タンギイって？」

と、私が聞きかえすと、返事は滝口がしてくれた。

「フランスのシュルレアリストだよ。もう六十くらいで、いまはアメリカに住んでるはずだ。化石が宙に漂ってるような絵ばかりかく男だがね。こんなデザインまでしているとは、知らなかったな。お金がかかったでしょう、有紀子さん」

「まだ値段、聞いてないわ」

「ぼくは貧乏のほうが楽にできるんで、趣味にするには、もってこいだ、と思ってるけど、こうしてみると、贅沢もいいもんだな」

と、室内を見まわしながら、滝口がいった。こういうもののいいかたをするから、気障《きざ》に思われるのだ。

「あたしのは、多寡が知れてるわよ。絵だって、複製でいいんですもの。きれいなのを、そばにおいとけば、いいんだから。どうせ、じきあきてしまうの」

有紀子は立っていって、ステレオをとめると、12インチ盤をジャケットにしまいながら、

「それだって、出来てきたのはいいけれど、あたし、チェスなんか、やったことないんだから、おかしいでしょう。小早川さんが知ってるっていうんで、教えにきてもらうことにしたくらいなのよ」

そのとき、階下で玄関のブザーの、ウェストミンスタ・チャイムが、複雑な金属音を、かすかに響かせた。

「あれが、そうらしいわ」

「小早川のやつ、やけにひまがあるらしいな。いいご身分だ」

ねたみがましく聞えなければいいが、と思いながらも、私はいわずにいられなかった。この家で、あいつにあう機会が、最近どうも多すぎる。われわれとちがって、小早川は塚本の縁つづきのはずだから、不自然に思われずにすんでいるのかも知れない。けれど、ことによると、あいつの感情も、有紀子にむかって傾斜しているのではないか、と私が考えていると、ドアにノックがあって、かわいらしい女中さんの顔がのぞいた。

「順二さんが、お見えになりました。それと檀那《だんな》さまから、お電話なんですが……」

「こっちへ切りかえてちょうだい。順二さんも、ここへお通しして」

と、有紀子は答えて、レコード・ボックスの上のスフィンクスのかたちをした電話カヴァを、とりのぞきながら、

「瑛一さん、テレヴィ映画の『マイケル・シェイン』、見てる?」

「いっぺん見たかな。ブレット・ハリデイの原作なら、かなり読んでるがね。どうして?」

「女秘書のルーシイのアパートにある電話、すてきでしょう?」

「そんなとこまで、気がつかないよ」

「台が楕円形でね。ダイアルがまんなかについてて、それを跨《また》いで、受話器をおくようになってるの。どうして日本じゃ、こんな場所ふさげのやぼったい電話しか、つくらないのかしら」

有紀子は、真珠いろの受話器をとりあげて、塚本と話しはじめた。そこへ入ってきた小早川へ、私は声をかけた。

「美青年のご入来か。文案家ってのは、ずいぶんのんきな商売らしいな。マス・コミ圏外のわれわれとはちがって、稿料が万単位だそうだから、遊んでいられるのかも知れないが」

「冗談じゃないですよ。もうじき、馘《くび》になりそうなんです。もっとも、稔さんのところで、宣伝部をつくって、ぼくをひろってくれるそうだから、安心はしてますが」

小早川は、目のまわりを赤くしながら、いった。お子さまランチみたいに小ぎれいな青年だが、背が高いせいばかりでなく、私には好感のもてないところがある。

「その宣伝部ってのは、いつ出来るんだい？」

「新しい薬の特許をとって、厚生省に申請ちゅうなの。許可がおりたら、社運をかけて売りだすんだって、張りきってるわ。それで、宣伝部もつくろうってわけなのよ」

と、電話をおわった有紀子が、返事をひきとって、

「あなたがた、よろしかったら、ゆっくりしていかない。塚本は今夜、帰りが遅くなるんですって」

「残念だけど、用だけすましたら、帰らなけりゃならないんだ。小早川君もいるから、ちょうどいい。滝口の絵を見てくれよ」

と、私はいった。日本画家がてれくさそうな顔で、画用紙をひろげると、

「小早川さんは、初対面じゃないかしら」

と、有紀子が口をはさんだ。

「《侏羅紀》に、へたな小説を書いてます。よろしく」

小早川は、きちっとあたまをさげた。

「こちらは異端の日本画家だ。ほら、きのう次号の表紙を絵にしたいって話がでたろ。それで、滝口にサンプルをかかせて、つれてきたってわけさ」

と、私は説明した。

「次号っていえば、淡路さん、ぼくの原稿、読んでくれましたか」

と、小早川はいった。私の批評なんか軽蔑しているくせに、口では後輩らしいあいさつをわすれない。こんなやつを有紀子のそばに、残していくのは気色が悪いが、中沢に原稿をわたす用がある。表紙の件が、思いどおりにきまったので、私たちは退散した。

中沢とは、《サンドリエ》であった。原稿をわたして、特別記者を承知する。むかいの露地のなかにあるおにぎり屋で、食事をしながら、打ちあわせをした。原稿をとりに阿佐ケ谷まで、いかなければならない、という中沢とわかれて、《サンドリエ》にもどる。あの日、後藤の右どなりにいためがねの男が、常連の仲間入りをして、喋っていた。大野木という名で、目下は失業ちゅうの、やむをえざる無職だそうだ。一時間ばかり、雑談にくわわってから、下宿に帰る。

《侏羅紀》の原稿の行数計算を半分やり、小早川の小説を読む。義理の母親に恋をする大学生の話で、ロマンティックすぎるが、いやみのないところは、取りえだろう。ついでにひろげた中久保の作品よりは、だいぶましだ。長篇の序章だそうで、ジャズ喫茶で知りあった黒人のことを書いたものだが、四百字一枚のうちに、おなじ形容詞が七つもとびだす。その無神経ぶりと、セクスというカタカナの乱発には、辟易《へきえき》した。しかも冒頭が、薄ぐらい午前三時の喫茶店のすみで、黒人の陽根の長さを、主要人物たちがライターにしこんだ巻尺で計っている場面。その火でやけどした黒人が、悲鳴をあげるところで、一節がおわるのだから、とても読みつづけられない。それにくらべると、小早川の短篇の、髭をそりに湯殿へ入った大学生が、若い義母の裸身を見てしまう場景には、清潔なエロティシズムがある。ことによると、癪にさわるがこの男、作家になれるかも知れない。ただし、モダンなバス・ルームの描写が、ちょっと私には気になった。有紀子のところが、こんな構造じゃなかったか。

手記のつづきを、書きはじめる。

三月七日　火曜

異例の早起きをした。『すいませんが、八時半に起してください』という貼紙を、襖のそとにしておいて、下宿のおばさんに、声をかけてもらったのだ。寝腫れしたみたいに、生あたたかく曇った朝の街を、タクシーではこばれて、淀橋警察署へいき、刑事課の殺風景な部屋で、村越警部補にあう。

「あなたにしては、たいへん早いんじゃないですか。なんのご用です？」

警部補は、かたい椅子を愛想でやわらかくして、私にすすめた。

「先日、話しわすれた――というよりも、あとになって思いだしたことがあるんです。もちろん、後藤氏の事件についてですが、お役に立つかどうか、とにかくお話ししておこうと思って。自殺か、他殺か、決定したんですか？」

「ぼく自身の考えは、だいぶ他殺に、かたむいてますがね。まだ、はっきりはしていませんよ」

「じつはですね。前もってお断りしておきますが、あすこにいあわせた因縁で、ある週刊誌から、しろうと探偵の役をおおせつかったんです。お邪魔はしませんから、諒承してください」

「ごていねいですな。仲好くやりましょう。民間の協力なくしては、われわれの仕事もできないんですから。それで思い出したこと、というのは？」

後藤を呼びだした革ジャンパーの男のことを、私はくわしく話した。

「なるほど、だれかたずねてきた、ということは、《サンドリエ》のマスターからも、聞きましたがね。人相、服装をおぼえてないんですよ。助かりました。あなたはものおぼえがいいし、話がじつに具体的だから、ありがたい」

と、村越はいやにおだてたいいかたをして、

「地まわりふう、とおっしゃったが、土地のものじゃないでしょうな。あのへんのやつならば、《サンドリエ》のマスターが、名前は知らなくても、顔に見おぼえぐらいはあるはずだから」

「それに、あの年ごろの連中は、なりだけじゃ、堅気か、ちんぴらやくざか、ぼくには見わけがつかなくなってます。どうも、はっきりしないんですがね。後藤氏は、手紙みたいなものを受けとって、読んでましたよ」

「そんなものは、身につけてなかったな」

「読みおわって、かえしたんじゃないですか。自殺だとしたら、それが動機じゃないか、とも思うんです。つまり、あの使いのきたことが、なにか突発的に、死を選ぶきっかけをつくった。もちろん、それまでにも多少の意志があって、毒薬は持ってあるいていた、と考えなきゃならないけれど」

「その使いが、最後の頼みの綱だったのに、悪い知らせをもってきた、という想像ですな。他殺だとすると？」

「無関係かも知れません。つながりがあるとすれば、コーヒーに毒を入れるチャンスをつくるための囮《おとり》、という仮定はできますね。それより他殺だとしたら、まず考えなきゃならないことがありますよ」

「どんな？」

「なぜ、あすこが現場に選ばれたか」

「なるほど？」

と、尻あがりにいって、警部補はいこいに火をつけ、私にも一本すすめた。

「すいません。いただきます。つまりですね。喫茶店てえのは、人殺しをする場所として、ぜんぜん理想的でないでしょう？　毒殺というのは、毒薬をあらかじめ用意しなけりゃならないんだから、計画犯罪ですね。計画を立てるときには、いちばん実行しやすい地点を選ぶのが、自然ですよ。やりそこなう危険の多いところを、わざわざ選定する馬鹿はない」

「おっしゃる通りですな」

「にもかかわらず、あすこで事件が起った、ということは、犯人はあの場所でしか、後藤氏とあえなかった、という意味にとって、いいんじゃないでしょうか」

「なるほど、なるほど」

と、村越捜査係長はまじめな顔で、なんどもうなずいてから、

「すばらしい推理です。そう考えていくと、どうなりますかな?」

「コーヒーに毒を入れるチャンスがあったのは、この前お話ししたように、ぼくと、秋山氏と、大野木っていう青年の三人きりです。大野木君のことはわかりませんが、ぼくはたしかに《サンドリエ》でしか、後藤氏とあえない。どこに住んでるか、知らないんですからね。けれど、根気よくあとをつけて家をたしかめるとか、機会を待って夜道を襲うとか、もっと安全な方法があるはずです。大野木君にしても、そうだと思いますね」

「すると、淡路さんは店の主人を疑ってるわけですか」

「秋山氏には悪いが、まあ、そうです。マスターの場合は、後藤氏のすまいは知ってるけ

ど、出かけていけないわけですよ。なにしろ一日じゅう、カウンターのなかにいるんですからね。むこうがくるのを待つより、しかたがない」

「しかし、自分の店で、客を殺すってのは、いちばん疑われやすいことでしょう？」

「だから、もし秋山氏が犯人だとすれば、非常につきとめにくい動機だろう、と思うんです。その点で、安心できるから、思いきってやったんじゃないでしょうか」

「いずれにしても、あなたは動機の面から、責めていくつもりなんですな？」

「ほかに、方法がないでしょう。いまのところ、表面的に見たら、ぼくをふくめて三人の容疑者は、後藤氏に対して怨みもつらみも、持ってないわけだから」

「どんな事件でも、動機がわかれば、犯人もわかるものですがね」

「警部補さん、ぼくにばかり喋らせないで、そっちの話も聞かせてくださいよ」

「お聞かせするようなことが、ないんですよ。後藤という人物が、ますますあいまいになるばかりでね。もっとも、まだ事件発生後四日めだから、あたり前といえば、あたり前だけれど。おもちゃの考案家といっても、どこの会社の仕事をしていたか、それをいま調べてるんですが、玩具製造業ってやつ、かなりの数がありましてねえ。骨が折れますよ」

「最近の金まわりは、どうだったんです、後藤氏の？」

「それほど、悪くはなかったようですな。近くもっとよくなるようなことも、細君にいっていたらしい。つとめをしなくてすむ、と思って、楽しみにしていたのに、なんて彼女、がっかりしてましたっけ」

「細君は働いてるんですか」

「浅草のバアにね。松屋のこっちがわの《びいどろ》という店です。大したところじゃありませんよ。といって、べつに怪しげな店でもないんですがね。後藤はそこの客だったんですな」

「結論として、警察はどういう考えでいるわけです？」

「近く一課の指示をあおいで、捜査本部をもうけることになるでしょうね」

「つまり、殺人事件としての捜査に、切りかえるわけですか？」

「まあ、そうです」

村越捜査係長は、剣竜《ステゴサウルス》が踏みつぶしたみたいなアルミニュームの灰皿に、短くなったタバコをこすりつけた。それきり絵にかいた恵比寿さまよろしく、にこにこしているだけで、口をひらかない。しかたがないから、私は腰をあげた。さんざ礼をいわれて、成子坂《なるこざか》の通りにでたが、考えてみると、あらいざらい聞きだしたのは、むこうであって、こっちではない。癪にさわるが、そのへんに、プロフェッショナルとアマチュアのちがいがあったと見るべきか。

こんな調子では、さきが思いやられる。けれど、村越がほんとうに感心したかどうかはわからないとしても、なぜ《サンドリエ》が現場に選ばれたか、という推論は、棄てたものではないだろう。いや、推理というのは烏滸《おこ》がましい。自分がそうだったから、ほかに犯人がいるとすれば、やっぱりそうなのだろう、というだけのことだ。しかし、きのう考えたⅡあるいはⅢの偶発の発見につとめている目下の私としては、さしあたって、この線かいわいを、追究すべきが妥当だろう。

私は歌舞伎町まであるいて、《サンドリエ》をのぞいた。出勤前によっていく〈早番《はやばん》〉の常連たちが、ひきあげたあとの、いちばん閑散な時間だった。カウンターのはしにすえた赤塗のコーヒー碾《ひき》が、怒った蜂のむれみたいに、モーターの唸りをあげて、客のひとりもいない店内に、苦みばしった香気をふりまいている。

カウンターの泊り木に、私は腰をおろした。早番のウェイトレスの妙ちゃんが、水のグラスをはこんできた。若草いろのスウェーターの、深くえぐれたVネックが、ノン・ブラジァを広告して、早春の土みたいに黒い胸もとを、のぞかしている。

「こんなに早く、珍しいやないの」

「たまには、ひとなみに起きることもあるさ」

「そうね。私立探偵、はじめたんなら、おひるまで寝てるわけには、いかへんなあ」

と、妙ちゃんは関西弁まじりでいった。

「おいおい、なんの話だ」

「芙美ちゃんから、聞いたんよ。後藤さんの事件をしらべるんですってね。やっぱり、自殺じゃなかったん？」

カウンターのなかで、秋山氏がいやな顔をしている。中沢に頼まれたことが、すでに知れわたってるとすれば、マスターの顎をゆるめるのは、あきらめなければならない。

「まだはっきりしちゃあ、いないんだ。警察は他殺の線を、重視しだしたようだがね」

「さっき、後藤さん、たずねてきたひとがあったわ。死んだの、知らんらしいの。とっても驚いてたわよ」

「男か、女か。どんなやつだった？」

私は緊張して、泊り木をまわすと、しゃくれ鼻の、黒っぽいファニイ・フェイスを見つめた。この子はあだ名を、凸凹黒兵衛といって、もちろん、田河水泡の漫画をおぼえている年配の常連が、つけたものだ。その連中には、にぎやかすぎて受けが悪い。けれど、軽いのは口ばかりではない、という評判で、若い客には人気がある。いまの私には、口だけ軽ければじゅうぶんだ。

「男のひとよ。生っちろい、むくんだみたいな顔でね。厚い冬オーヴァ、きてはったわ」

「もう後藤さんの話は、やめましょうや」

碾《ひ》きたてを淹《い》れたコーヒーを、私の前におきながら、秋山氏がいった。

「そうはいかないんだ、マスター。事件記者のまねをしようってのも、おもしろ半分じゃない。ぼくは警察に疑られてるんだからね。あんたもだぜ、秋山さん」

「冗談じゃないですよ」

「その通り。冗談じゃない話だよ。だから、なんとかしよう、というわけなんだ。それで、その男——」

と、私はまた、凸凹黒兵衛にむきなおって、

「からだつきは、どうだった？」

「大きいほうね。けど、猫背やったわ。いきなり入ってきて、『きょうは、後藤さん、まだきませんか。いつも何時ごろ、くるんです？』って、いうのんよ」

妙ちゃんは、ザ・プラターズのハーバート・リードみたいなバスをむりして、男の口調をまねてくれた。

「ほんとに、死んだの、知らないらしかったかい？」

「ええ、口あいて、しばらくあたしの顔、見てたくらいだから、ほんまに初耳だったんや、思うなあ」

「それから、どうした？」

「家がどこか、わからないっていうから、わかるっていったら、『教えてください。せっかくきたんだから、せめて、お線香だけでもあげていきたい』って」

「住所を聞いて、すぐ帰ったのか」

「うん、コーヒーものんでいかんの」

「何時ごろだった、その男がきたの？」

「九時半ごろだったわ」

すでに一時間半たっている。私はあわてて、コーヒーをのみほすと、《サンドリエ》をとびだした。後藤が住んでいたのは、葛飾《かつしか》区の本田《ほんでん》渋江町というところだ。東京育ちといっても、私はのてっ子だから、川ふたつむこうの知識といえば、葛西囃子と、源兵衛堀と、おやじがよく口にした『葛西金町半田の稲荷、疱瘡《ほうそう》は軽いな』という、はやし言葉みたいなものだけで、いまの役にはとても立たない。都電通りの本屋へよって、百八十円を投じ、『東京都区分地図帖』というやつを買った。それで見ると、本田渋江町というのは、京成電車の四ツ木駅のいまわりだった。

上野から京成電車にのるか、浅草橋から都営の地下鉄にのれば、そこへいかれるぐらいの見当はついたが、いかにもまだるっこしそうだ。ちょうどルノオの空車がきたのをさいわい、思いきって、タクシーを奮発することにした。

抜弁天《ぬけべんてん》から筑土《つくど》八幡を左に見あげて、飯田橋から後楽園へぬけ、壱岐坂をのぼりかけて、大きなモザイク壁画の華やかな学校のわきへそれ、春木町から湯島天神を右に見あげて、切通をくだり、池の端をまわって、上野駅前から菊屋橋へぬけ、はるかに新世界の、貝細工みたいな五重塔をあおぎながら、まだ地下鉄工事の鉄塔が、赤い禽竜《イグアノドン》の骨格のように、傲然とふさいでいる駒形橋を出て、駒形堂《こまんどう》のてまえを、花川戸までまっすぐに——そこまでは、両がわをすべりすぎていく風景にも、馴染があってよかったが、言問《こととい》橋をわたって、メーターが四百円を越すと、私はがぜん不安になった。

機械油みたいな大川をわたると、どういうものか、空気のいろが、茶っぽく濁って見えてくる。これは私の偏見にきまっているが、道路の幅だけは近代的にひろがったのに、ならんでいるのは相変らず、色彩不統一な紙と木の小さい家だ。その違和感の上に、鉛いろの空が厚く、大きく圧しかぶさって、ゴースト・タウンめいた埃っぽい寂寥を、おぼえさせるのだろう。

「四ツ木は、どのへんですか」

と、運転手がいった。ルノオは、向島の電車通りを走っている。

「本田渋江町というところへいくんだ。四ツ木橋をわたってくれ」

「京成の鉄橋のてまえの橋だね。ここらを曲るかな」

タクシーは線路をわたって、せまい通りへ入った。汚れた板塀のなかに、なんの機械か、赤茶けた鉄塊がそびえている小さな工場を、いくつも通りすぎ、見まわすと、まっ黒な煙突ばかり目立つようになって、私の方角感覚は完全にうしなわれた。と思うと、たちまち車は、荒川のほとりに出た。目の前に、割箸細工みたいな貧弱な木の橋があって、丸太の柵でふさがれている。

「だめですよ。ここは歩行者しか、通れねえんだ」

「これが、四ツ木橋かい？　ちゃんとした鉄の橋かと思ったら……」

「そりゃあ、新四ツ木橋のほうですよ」

運転手は、左の窓をゆびさした。橋脚と水面すれすれの桁にレールをのせただけの、京成電車の鉄道橋のむこうに、大きな鉄の櫛をならべたようなアーチが見える。メーターをのぞくと、もう六百円ちかい。私はやけくそで、大声にいった。

「じゃあ、あっちの橋へまわってくれ」

ルノオは大きくターンして、凸凹な土手をはずみながら、たちまち、京成荒川の駅の前をつっきった。緩慢に光っていた川水が、急に黝《くろず》みだして、

「なんだか、ひと雨きそうな空模様になってきましたぜ」

と、運転手がいったとき、車はアスファルト道路にのりあげていた。織るような車の列にまぎれこんで、青黒い最初の橋梁をくぐると、空はいよいよ暗くなった。京成の鉄道橋をわたっていく都営地下鉄の車輛が、キャラメルの函をつなげたみたいに、小さくあざやかに見える。反対の窓にむくと、千住へかけての川岸に林立する煙突が、黒い銃剣のように、低まった雲をつきさしていた。

前がつかえて、車のスピードが落ちた。いつのまにか、私は歩道に立っていた。周囲には、涼風をはらんだ濃《こま》やかな夜があった。車のかずは少くなり、鉄道橋をわたる電車の窓には、灯火がきらめいている。それは京成電車でも、都営の地下鉄でもない。たぶん、東武電車だろう。それとわずかな高低で、折重なるみたいに、すれちがっていくのは、常磐線の列車にちがいない。その首飾りのような光が、遠くの闇に弧をえがいて、消えていくのを、橋の欄杆《らんかん》に手をかけて、じっと私は見つめていた。

そこは新四ツ木橋ではなく、千住新橋だった。私のうしろには、有紀子が黙って立っている。去年の夏。そのころ彼女は、梅田町の親戚の家に、身をよせていたのだ。電車の灯が見えなくなると、私は手近な川面に視線をうつした。まっ黒な水の岸よりに、洲の浮きだしているのが、ほの白く見える。そのはずれに、人魂めいた灯が黄いろくゆれて、小さな影がうずくまっているのは、夜釣りでもしているのか。

ふいに、有紀子のからだが、私にふれた。更紗模様のワンピースの、肩からあらわな二の腕が、黒いポロシャツにむきだした私の腕にふれて、火傷したような気がした。けれど、無灯火で走ってきた自転車を、有紀子がよけただけのことであった。自動車の交通量が多いために、ここでは自転車も歩道を走ることに、さだめられているのだ。

ふりむくと、有紀子の顔が、遠い町あかりに翳をふかくして、すぐそばにあった。

「きみは塚本が好きになったのかい？」

と、私は聞いた。返事はひどく手間がかかった。

「わからないの。ただ、あのひとの奥さんになら、なれるような気がするだけ」

ゆっくり答えながら、有紀子は歩きだしていた。歩道に下駄が、乾いた音をきざんだ。

「塚本という男を、まだよくわかっていないはずだがな、有紀ちゃんは」

「だから、いいんじゃないかと思うわ。あたし、つかれているの。そこへ塚本さんから話があったんで、こんな気になったのかも知れない。ほかのひとであっても、おなじこと、考えたでしょうね」

「だったら、ぼくでもいいはずだがな」

「だめよ、瑛一さんは」

私にだけときおり見せる（と、いまでも私は思いこんでいる）子どもにかえったような笑顔で、杉田有紀子は立ちどまった。

「どうして？」

「あなたの奥さんになるなんて、考えただけでも、不自然だわ」

「きみは残酷なひとだよ」

「そうかしら」

私たちは、道をひきかえしはじめていた。ヘッドライトを熾《も》えたたせて、巨大なトラックが走りすぎていく。橋をゆるがすそのひびきも、だが、私の耳には入らない。

「そうだとも。千住くんだりまで呼びだしておいて、塚本に結婚を申込まれた話を、聞かすんだから」

「でも、しかたがないのよ。あたしには、こんな相談できるひと、いないんだもの。悪いとは思うけど、瑛一さんがまじめに聞いて、まじめに考えてくれるから、いけないんだわ」

「あんまり、悪いとも思っていないようだぜ」

「そうかも知れない――悪いと思ったのは、最初だけね、きっと」

「なんど、こんな話を聞かされたろう」

「これからも、聞かすわよ。でも、きょうは忙しかったんじゃない？」

「大丈夫だ。ひるま、原稿をわたしたところだから。そのときに稿料をもらったから、家までタクシーでかえる金もあるし……」

「塚本さんには、あさって、あうことになってるの」

「返事をしなきゃいけないのかい、そのとき？」

「そういうわけでも、ないけれど」

「おじさんは、なんていってる？」

「だれにもまだ、話してないわ」

「有紀ちゃんの気もちしだいのことだな。塚本はいっしょに生活していくのに、悪い相手じゃないよ。いままでのとは、くらべものにならないだろうね」

「贅沢ができることだけは、たしかだわ」

「苦労はないだろう。きみさえよかったら、結婚したまえ。ぼくとはもう、あわないことにしようか」

「そんないいかたされるの、いや」

「きみを、ひっぱたきたくなった」

私は立ちどまって、近づいてくる赤い空軍の灯を、睨みつけながら、いった。

「ひっぱたいて、あの車をとめて、ぼくの下宿へつれていこうとしたら、どうする?」

有紀子はさっきとおなじ、笑顔になった。

「泣きながら、ついていくかも知れないわ。でも、手おくれね。もう通りすぎちゃったから」

と、ふりかえって、オレンジいろのテイルライトを見おくった。

「いつも、手おくれだ。最初から、ぼくは安全すぎたんだな。こうなったら、最後まで無益無害でいるより、手はないんだろう」

「無益ってことは、なかったわ」

「とにかく、七年前に、ひっぱたくべきだったんだ」

「こないだ有美子《ゆみ》が、もうそろそろ姉さんと瑛一さんの、錫《すず》婚式じゃないかしら、なんていってたわ。あの子にいわせると、あたしたち、わかれたあと、仲好くしている夫婦みたいなものなんですって」

私はもう、堪えきれなかった。六回めの往復をおわって、梅田町よりの橋だもとに、私たちは立ちどまっていた。

「しあさって、おひるごろに電話するよ。ここで車をひろうけど、家の前まで、きみをのせていこうか」

「また逆もどりしなけりゃ、ならないじゃないの。今夜は送ってくれなくても、いいわよ。まだ九時すぎたばかりだから」

「だったら、ぼくが車にのるまで、待っていなくてもいいぜ」

「だめ。見えなくなるまで、ここに立ってる」

「どうもわからないな。ときどき、きみがいちばん好きなのは、ぼくなんじゃないか、と思うときがある」

「いつか、よく考えてみるわ。あの車、あいてるんじゃない？」

タクシーにのってから、私は一度もふりかえらなかった。自分に腹が立って、しかたがなかったからだ。目をとじて、いつか私はつぶやいていた。

「われはわれとてひとすじに恋いわたりたる君なれば、あわれシナラよ」

「え？」

と、運転手がふりかえった。『自転車は歩道をわたってください』と書いた立札が、窓のすぐ外にある。それが私を去年の夏につれもどし、いままた、現在に立ちかえらせたのだ。

「なにかいったかな。ひとりごとだ」

ルノオは、新四ツ木橋をわたりきった。すこしいくと、大きな十字路だった。

「ここを、右へ曲るんじゃないか？」

「わからなくなっちまったな。右へいくと、小岩なんですがね。まっすぐいくと、亀有で」

「とにかく右へ曲ってから、とめてくれ。どこでもいい」

信用金庫の灰いろの建物の前で、ルノオをおりた。六百四十円だった。こんなむだ金をつかって、私はなにを追いかけているのだろう。めしをくう必要のない推理小説ちゅうの人物にかぶれて、葛飾くんだりまでやってきても、収穫があるという保証はないのだ。けれど、腕時計を見ると、新宿から四十五分しか、かかっていない。それをなぐさめにして、私はひろい道路をわたった。

理髪店の前で地図をひろげて、だいたいの見当をつけてから、枝道へ入っていく。じき、商店街につきあたった。右かどに汚れた卵いろの、大きな建物がある。葛飾郵便局だ。この通りを右にまっすぐいけば、四ツ木の駅に出るはずだった。ごてごてと新しい家庭用品をならべたてた大きな店は、むしろよそよそしい。そのあいだに不調和にはさまった軒の低いブリキ屋や、お稲荷さんの鳥居みたいなタバコ屋のほうが、ここでは生き生きして見える。

とつぜん、遠くでサイレンが鳴りだした。工場の昼休を知らすものにちがいない。私は立ちどまって、すこし遅れていた腕時計を、十二時にあわした。

やにっこい革ジャンパーに、色褪《あ》せたジーン・パンツの少年が五人、瀬戸物屋のかどから、一列横隊であらわれて、私をおしのけていった。血色のわるい棘《とげ》立った顔は、単純な不満を鋳型にとって、打ちだしたみたいに、五人ともよく似ている。これが、東京のイースト・エンドの顔なのだろう。

瀬戸物屋は昔ふうに、道路にまで台をつきだして、五郎八茶碗や、貯金玉の擬宝珠《ぎぼうしゅ》や招猫《まねきねこ》を、つみあげている。私はそれを、ひっくりかえしそうになりながら、少年たちをよけて、歩きだした。巨大な共同便所のような映画小屋をすぎると、低い長屋づくりの二階家が、目についた。そのあいだに、一間《いっけん》ばかりの小路《こうじ》がある。といっても、上には二階があって、下だけが吹きぬけになっているのだ。左右の家は、ガラス障子のなかが道路より低めの板の間になった古めかしいつくりで、吹きぬけの上の二階が、どちらに所属しているかは、わからない。めくら格子とでもいうのだろうか、櫺子《れんじ》窓がぴったりしまって、煮しめたような羽目板の内がわには、過ぎさった時代だけが、眠っているのかも知れない。

私はへんに満足して、小路のなかをのぞいていた。渋いろした左右の羽目には、映画小屋の色刷ポスターにまじって、お灸の看板や、厄除大師のけばだったお札までが、貼りつけてある。藍いろの板に、本田渋江町、と白く書いた番地の標示札も、釘づけしてある。

気がついてみると、私のたずねる番地と、いくらもちがっていなかった。

それから一時間以上も、あとだろう。私は葛飾郵便局の前の公衆電話で、淀橋警察の捜査係長と話をしていた。

「そんなわけでね。庚申荘《こうしんそう》アパートをさがしあてて、山岸とよ子にあったんです」

「不愛想な女だったでしょう」

村越は、糖衣錠みたいな声でいった。

「ええ。ことにぼくがいったときは、部屋のなかで竜巻が起ったようなあとでしたからね。最初は剣もほろろでした。片づけの手つだいしてやって、話を聞きだしたんです」

「その男と喧嘩でもしたんですか、細君は？」

「そいつが部屋じゅうを、さがしまわったんです。なにをさがしたかは、わかりません。その男は、後藤氏にあずけたものがあるんだ、といってたそうです。でも、けっきょく見つからない。細君にあたりちらしたらしいですよ。頰ぺたを殴られたって、ぷりぷりしてました」

「警察に連絡してくれると、よかったんだがな」

「よっぽど、大声で騒いでやろうか、と思ったそうですがね。警察を呼ぶよ、といったら、だれがきても平気だ、自分のものを返してもらうだけだから、とうそぶいてたそうです。最初は神妙に、お線香あげて、骨箱を拝んでたようなんですが」

「たしかに、変なところがありますな」

「すぐ警察にとどけなさい、とぼくがいいましたらね。細君は、こぼしてましたよ。警察だって、おなじようなことをしたんだからって」

「なんのことです、そりゃあ？」

「彼女がつとめに出ているあいだに、刑事さんが部屋をしらべていったそうですが」

「冗談じゃない。そんなこと、しませんよ。しらべるなら、諒解をえてしらべます」

「しかし、たしかにだれかが鍵をあけて入った、と細君、自信をもっていってますよ。押入れなんかに、手をつけたあとがあったそうです。そのくせ、なにも盗まれたものはない。だから、警察がしらべたにちがいない」

「ぜったいに、そんな事実はありません」

「すると、こういうことは、考えられませんか。その男がさがしてたもの、なんだかわからないけど、そいつを前にも、さがしにきたものがある」

「それは、考えられますね。しかし、淡路さん、その男のことを聞いたとき、すぐこちらへ知らしてくれるべきでしたな」

「それは、むりですよ。そいつの行動が意味ありげだってことは、こっちへきてから、わかったんですから」

「細君は初対面なんですね」

「古川と名のったそうです。後藤からはそんな友だちがいるなんて、聞いたこともない、と細君はいってますよ。それからね、村越さん。後藤の蔵書を見て、ちょっと気がついたことがあるんですが」

「へえ、どんなことです？」

「ぼくはひとの家へいくと、どんな本があるか、よく見るんです。人間の性格は、本棚にもあらわれるもんですからね。後藤のところには、蔵書というほど、数はない。せいぜい十冊ぐらいだけど、そのなかにドイツ語の本が一冊、英語のパンフレットが一冊あるんです。ドイツ語はとうの昔にわすれているし、英語のほうも学術語が多くて、よく読めないんですが、とにかく二冊とも、医学関係の専門的な本らしいんです」

「それが、どうかしたんですか」

「いいですか、村越さん。物理学や天文学なら、かなりむずかしい本を、趣味で読むひともいますよ。けれど、医学の専門書を道楽で読むひとってのは、考えられないいんじゃないですか」

「後藤は医学関係の人間だ、というんですね」

「おもちゃの考案家なら、自分のつくったおもちゃのひとつくらい、部屋においてあるはずですよ」

「なるほどね。しらべてみる価値は、ありそうだな」

「これだけ、情報を提供したんですからね。なにか新事実がでたら、教えてくださいよ。いまは公衆電話で、待ってるひとがいますから、切ります。また連絡しますから」

警部補の礼を聞いてから、私は受話器をかけた。ふりむくと、ガラスのむこうで、男の顔が、にやりと歯をむきだした。臆病な私は、声をあげるところだった。

待っていたのは、大野木だったのだ。

「やあ、妙なところでおあいしましたね」

「電話をかけるんじゃないんですか？」

「ちがいますよ。通りかかったら、淡路さんがかけてたんでね」

「あなたの家は、このへんなんですか」

「それも、ちがいます。知りあいの家があるんです。目下、就職運動ちゅうですからね。どこへでも、あらわれますよ。淡路さんこそ、この近くなんですか」

「いや、例の後藤氏の……」

と、いいかけて、私は口をつぐんだ。この男も、容疑者のひとりなのだ。迂闊《うかつ》なことは、しゃべれない。

「ああ、あのひとの家が、たしかこのあたりでしたね。週刊誌の探偵を、もうはじめたわけですか。なにか収穫、ありました？」

大野木にまで、特別記者のことを知らしてしまったのは、まずかった。《サンドリエ》以外のところで、中沢に返事をするべきだったのだ。

「あれば、こんなところで、まごまごしていませんよ。次なる行動に移ってます」

「すると、もうお帰りですか」

「ひさしぶりに、浅草でもいってみようかな。あっちへいくバスが、通ってるようだから。浅草寿町行きとか、してあった。寿町って六区から遠いかどうか、知りませんか」

「浅草までなら、車をおごりましょう。ぼくも六区はひさしぶりだから、かまわなかったら、おともしますよ」

大野木は、濡れた道を見わたした。私が山岸とよ子のところにいるあいだ、雨がふっていたのだ。

「国のおやじが、馬鹿に景気よくなったもんで、いまごろ臑《すね》をかじる味をおぼえたんです。

だから、つい選りごのみしちゃってね。職が見つからないのか、見つけないのか、わかりませんよ。そのくせ、貧乏性なんですね。学生時代は独立の精神なんて、偉そうなことといっちゃって、アルバイトしてごりごりやってたせいですか。ウイークデイにぶらぶらしてるの、なんとなく恥ずかしいんですよ」

と、いいながら、タクシーの代金をはらった大野木が、新世界の四階へあがると、てれたふうもなく、室内遊戯に夢中になっていた。電気じかけの射的が手はじめで、

「こりゃあ、なかなかおもしろいですね」

むこうにガラス張のジャングルがあって、原色の緑にしげった木のあいだを、茶いろい梟《ふくろう》みたいなのがいくつも、微動しながら、上下に動いている。それを離れたところから、コードのついたライフルで狙って、命中すると、大きな目玉に電気がついて、すとんと下へ落ちるのだ。

「ぼく、こういうのは、わりにうまいんですよ」

と、張りきった言葉に、うそはなかった。二、三回ミスしただけで、あとはすとん、すとん、梟は目をまるくして、落ちていった。

「落ちたところで、どうということはないんだな。こりゃあ、他愛がなさすぎる。あっちのをやりましょう」

と、こんどはピンボール・マシンにとりかかった。ここでも大野木は、両手をいそがしく動かして、得点の電球をつぎつぎにつけ、なんどか満点を出した。こいつをやりだしたら、小銭を際限なく吸いとられるのを知っているので、うしろに立って、私は見ていた。

傾斜した箱台のなかに、はじきだされた白い球が、得点のポールにあたって、はねかえるたんび、ベルが安っぽい断続音を響かせる。機械の正面には、コミック・ブック調のセクシイ漫画をかいたガラス窓が立って、その赤っぽい色彩に囲まれた数字が、ベルにつれて明滅していく。ぼんやりそれを眺めながら、私はここが開店したころを、思い出していた。

おととしの秋——九月か、十月だったような気がする。その日も、きょうとおなじに、空はどんより曇っていた。だが、生あたたかいどころではない。ひえびえと湿った風が、まだ五重塔の完成していない屋上に、吹きわたっていた。すみのほうには、ブリキの切れはしや、セメント袋のやぶれたはしがちらばっていて、風が強まると、がさがさ音を立てた。私のそばにいる有紀子の鳩いろのレインコートも、裾をあおられて、湿った音を立てていた。

十円玉を入れて、観音堂へむけた望遠鏡に、私は目をあてている。だが、まるく刳《えぐ》りとられた風景を、見てはいなかった。有紀子の声に、気をとられていたからだ。

「きのう、金沢から手紙がきたのよ。おどろいちゃった。そのひと、あたしの家へいったらしいの。結婚申込によ。おかあさん、めんくらったろうと思うわ。一週間いて、毎日たずねてきたんですって。あたくしの承諾は得ているから、どうしても、うんといえって、ねばったらしいの」

心が重くなるといっしょに、目の前が暗くなった。十円分の時間がきて、レンズの蓋がとじたのだ。私はまた、スロットに銅貨を落した。

「でも、妹の有美子は、あたしの気性、知ってるでしょう。だから、おかしいと思って、曖昧にあしらってくれたらしいんだけど。それでね、あたし、千住のおばさんのところへ、引越しちゃったの。つとめもやめちゃったわ」

「ゆくえをくらまそう、というわけだね。その男から」

「うん」

「どんなやつなんだい、その男?」

「それがおかしいのよ。よくわからないの。雑誌の編集をしてるっていうんだけれど、なにかの団体の機関誌かなんからしいわ。もしかすると、うそかも知れない。なぜかっていうと、あたしとおない年だっていうのが、どうも、うそらしくてね。ふたつぐらい、下じゃないのかな」

「妙なのに、ひっかかったもんだな」

「いやだわ。瑛一さん、きょうは機嫌が悪いのね。ひとが困ってるのに」

「困ってるようには、見えないよ。その男が馬鹿げたことをしたんで、けりがついた気でいるんじゃないのかな」

　私は望遠鏡から、顔を離した。

「まあ、いいや――それで、ぼくが役に立つことが、なにかあるの？」

　曇った窓へ、豆をまきちらしたみたいに、鳩の飛びたつのが、遠く見えた。スレートいろの雲は、そんな弱弱しい散弾攻撃ぐらいで、晴れまを見せはしないだろう。

「おばさんところにいて、遊んでもいられないでしょう。なにか、仕事ないかしら」

　と、有紀子のいうのを聞きながら、私は冷たい風に吹きやられて、階段のほうへ歩きだしていた。

「しかし、ぼくが口をきけるのは、出版関係ばかりだからね。ひろくて、せまいところなんだから、その男にすぐ見つけられるかも知れないぜ」

「もうあのひとは、ごめんだわ。肩が凝っちゃう」

「《ハッタリ》でも、貼るんだね。そうだ。塚本に相談してみようか。いつか話したろう。ぼくの中学時代の友だちで、光進製薬の研究所長をしてる男。あいつなら顔がひろいから、なんとかなるかも知れない。塚本に金をださせて、《侏羅紀》を再出発させるプランがあってね。新島や川上にせっつかれてるから、どっちにしても、一度あわなきゃならなかったんだ」

「そう、《侏羅紀》をまた出すの。あたしも、ひさしぶりに詩を書こうかな」

有紀子は職さがしを頼んだことなぞ、たちまちわすれたように、華やいでいった。けれど、私はわすれずに、あくる日、田端の光進製薬研究所をたずねて、塚本稔に金と仕事の心配をせまった。独協中学時代、校内雑誌に『森鷗外における武士道の沈潜』なんぞという、大げさな題の文章を書いたりしただけに、

「パトロンには、なりたくないな。同人にしてくれよ。原稿はあまり書けないだろうから、経理を受けもとう」

と、彼はいった。職のほうも見つけてくれて、有紀子はまもなく、日本橋の《金羊皮》という民芸品の店で働くことになった。金沢の生家へ強引に押しかけた男に、私はその年の暮、ある雑誌の編集部で、偶然あった。自分の鼻をつまむのが癖の、意外に卑屈な目をした青年だった。

いまピンボール・マシンに、おおいかぶさっている大野木のすがたが、妙にその男の猫背を思い出させる。けれど、そいつとちがって、大野木の肩はきびきびと動いている。私

ともちがって、白い球をはじくのに全力をそそいでいる彼は、女をくどくときにも気がねを棄てて、体あたりしそうだ。うらやましい。私ときたら、有紀子がほしくてしかたがないくせに、それをいいだしたら最後、二度とあってもくれなくなるのではないか、その心配におじけづいて、しぶしぶ騎士をつとめていたのだ。

三月八日　水曜

『猫の舌に釘をうて』の束見本を、小さな字で埋めていくのが、すこし億劫《おっくう》になってきた。考えてみると、いやみな題の本だ。猫の舌に釘をうって、どうしろ、というのだろう。だいたい私は、都筑道夫という男が、あまり好きではない。文章の上でさえ、強気になれない私は、いまもついなんとなく、あまり、という副詞をつかって、感情をあらわにしない措置をこうじたけれど、この中身が白紙でなく、都筑の気障な小説が印刷してあるのだったら、とうに古本屋へはらいさげていただろう。やつが翻訳雑誌の編集をしていたころ、私は原稿を持ちこんで、はずかしめられたことがあるのだ。応対はしごく丁寧だったが、苦心惨憺した私の訳文をつかまえて、

「翻訳というのは、英語の小説を、日本語で説明しただけじゃ、いくら正確で読みやすくても、だめなんです」

と、すげなくつっかえしやがった。言葉では説明しがたい感動を、文章で包囲すること

によって、読者につたえるのが、小説というものだ、と信じている私に、これほどの侮辱はなかった。原稿をろくすっぽ読まずに、はったりでいったことだろう、と私はひとり慰さめた。この題名だって、はったりにきまってる。私の胸のなかにも、執念ぶかく有紀子をしたう猫がいて、にゃあにゃあ、いつもうるさいが、舌に釘をうってみたところで、鳴きやむかどうかわからない。扉にオスカア・ワイルドの詩が、引用してある古風なハイカラぶりから、想像しただけでも、こんな小説はたくさんだ。

もっとも、これはいささか八つあたりで、手記をつづけるのがつらくなった理由は、おもに私の体力にある。そろそろ、《ギルティ》の翻訳も〆切が近づいた。原稿料の出ない手記を、毎日三十枚、四十枚ちかくも書いているわけにはいかない。最初のころのように、事情が切迫していれば、そんなこともいっていられないが、塚本の家ではいっこうに、なにごとも起らない。古川という男の出現によって、IIあるいはIIIの可能性もひろがった。もっとひろがれば、有紀子のほうは心配がなくなる。この手記を書きつづける必要も、なくなるわけだ。といっても、まだ六日しかたっていないのだから、有紀子の護衛をおこたるわけにはいかないが、記録のほうはすこし手をぬいても、かまわないだろう。

私は本格の謎とき小説でなければ、推理小説とみとめないくらいだから、イギリスのニコラス・ブレイクに心酔している。ことに好きなのは、『野獣死すべし』など比較的初期のものだが、それらの作品で、彼があみだした新手というのは、犯人の計画が情勢に対応して、物語の背後で変化するのを、うまくつかっていることだろう。最初の殺人で犯したミスのために、殺すつもりはなかったひとを、次つぎ殺さなければならなくなる、といったことなら、いくらも例のある手だが、ブレイクの場合は、最初の事件が起るまでに、犯人の気が変ったり、余儀ない事情が起ったりして、計画が変更される。それが作品にリアリティを増し、いっそうトリッキイにしているから、ユニークなのだ。つまり、それ以前の推理小説では、第一ページに死体がころがるか、ころがらないかは別として、すでに犯人の殺意は確立しているところから、物語がはじまる。犯意をいだくにいたるプロセスは、倒叙でしかあつかわれなかった。それを普通にあつかうか、すくなくとも、まだ計画があやふやなところから始めたら、いっそう複雑なものができるだろう、というところにブレイクの着眼があるわけだ。

そんなぐあいに、犯人の気が変ることだって、あって不思議はないのだから、探偵のがわに厭《あ》きがきても、おかしくはあるまい。私はなにも厭きてしまったわけではないが、いささか張りがなくなってきたのは、事実だ。けれども、万一のとき、これを読んでくれるひとのために、断言しておこう。私が手記に省略をもうけるのは、生活のための原稿を書かなければならないからであって、これからも決して、うそはしるさない。重要と思われることが起れば、徹底してでも書くつもりだ。ためにする省略は、ぜったいにおこなわない。

もっとも、今夜はまだ、だいぶ書いておかなければならないことがある。なかなか楽はできないものだ。だいいちゆうべは、徹夜につづく早起きの疲れで、ぶったおれてしまったから、きのうの行動を書ききれなかった。

浅草の新世界で、大野木にわかれてから、私は有紀子の家をおとずれた。タクシーでいけば、表町まで十分とはかからないが、うまく時間がつぶせたおかげで、上野駅前から池の端をまわるころには、ならんだ旅館に灯がともった。東大農学部わきから菊坂をくだって、柳町をぬけ、信州善光寺月参堂前の坂をのぼると、空が曇っているせいか、道のまんなかに立ちはだかった大木が、髪を逆立てた仁王さまみたいに、黒ぐろと見えた。

次の日たずねる理由にするため、おとといは、滝口の画料の話をしなかった。それをきめてもらおうと思って、塚本が帰ったころを見はからってきた、という口実で、私はあがりこんだ。玄関わきの大きな客間で、扉いちめんに古風な書棚の絵を、白黒の銅版画ふうな緻密さでえがいたピエロ・フォルナセッテイの飾り棚を背に、私が待っていると、塚本稔は本薩摩の雨絣に、松葉を一本ならべに織りだした紺博多をしめて、入ってきた。

「和服とは珍しいな」

と、私がいうと、

「ああ、洋服ばかりでいると、肩が凝ってね」

「《ハッタリ》の発売もとが、そんなことといってちゃしようがないじゃないか。おれもすこし仕事をしすぎて、肩が腫れちゃってさ。《ハッタリ》を、ただでもらおうか、と思ってきたくらいなんだぜ」

「いいよ。百枚入りのがあるから、帰りにもってきたまえ。宣伝してくれると、ありがたいな。売行きの面では、はったりがちょっときかなくなってきたんだ。なんか、目さきを変えなくちゃあ」

「新薬をだすんだって？　なんだい、ものは？」

「まだ秘密だ。膏薬みたいに、はやりすたりのないもので、手がたくやってくのがね。ほんとは、いちばんなんだけれど……新薬をだすのも、これで大変なんだぜ」

「そりゃ、そうだろう。創作だからな、やっぱり」

「外国の特許をつかって、やるにしたってさ。新しく申請するには、臨床データなんかもいるしね」

「医者につかってみてもらうわけか」

「うん。なかにはひどいのがいてね。なんだかんだ口実をつけて、ずいぶん金をつかわせるよ」

「おれも、今度は金をつかわせにきたんだ、じつは」

「滝口さんのことか。いい表紙ができそうだって、有紀子がよろこんでいたっけ」

「有紀ちゃん、いま、いないのかい？」

「ああ、出かけてる。映画でも見にいったんだろう」

稔が有紀子のことを、どんなふうに思っているのか、私にはわからない。ことし一月半ばの風の吹きすさぶ夜、新婚旅行から帰ったばかりの彼に、私は銀座であって、酒場につれていかれた。カウンターの泊り木にすわってからも、なんとなく塚本がねたましくて、私の口数はすくなかったが、それが不自然にとられなかったのは、うしろのテーブルに、ひどくにぎやかな客がいたせいだったろう。

「誘惑されたっていいけれど、あとが大変よ。あたし、処女なんだから」

オフ・ネックの赤い服をきた女がいうと、客は薄いあたまをなであげて、

「百年の恋がさめたな。三十になって未経験とは、グロテスクだ」

ふいに塚本が、大きなチューリップ・グラスのなかをのぞきながら、小声でいった。

「たしかにグロテスクかも知れないが、感動するね、やっぱり。ぼくは感動したよ」

カウンターにグラスをおくと、弓なりにふくらんだ腹に、私の顔が映った。それが歪ん

でいたのは、チューリップ・グラスのせいばかりではなかったろう。

有紀子について、感想めいたことを、塚本から聞いたのは、このときばかりだ。彼女のことをなんにも知らなかったら、感動するはずはない。去年の秋、《侏羅紀》の編集会議のあと、おなじ酒場につれていって、

「きみには、報告しとかないといけない、と思うんだが、ぼくは杉田君に、結婚を申込んだんだ。こないだ、承諾の返事をもらった」

と、告げたくらいだから、私の感情も知っているはずだ。おなじ感情を持ちつづけて、私がおとずれているのを、塚本はどう見ているのか。ひとは具体的なものに、安心をおぼえやすいから、寝室で有紀子の肌を所有できるという、わずかな実感をたよりに、安堵しきっているのかも知れない。それとも最初の感動が、磐石《ばんじゃく》の自信に変っているのか。

私は滝口の画料をきめてもらって、塚本の家をでた。いつ払うのもおなじだから、といって、だしてくれた金を、内ポケットにあずかった私が、蝸牛庵のかどまでくると、ちょうど有紀子がタクシーから、おりるところだった。私を見とめて、おりるのを急いだせいか、タイト・スカートのすそから、ストッキングのおくが、ちらっと見えた。私は中学生のようにどぎまぎして、目をそらした。

「瑛一さん、もう帰るの？」

「ああ、そのタクシーを利用するかな。新宿までいってもらうが、ちょっと待っててくれないか」

と、私は運転手に声をかけてから、有紀子にむきなおった。紫の白の天鵞絨《びろうど》のリボンを、細い蛇籠みたいに編んで、渦巻がたに巻きあげたような、トーク帽をかぶっている。とても、幸福そうに見えた。ついに愛しかえされることのない愛ではあったが、これまでは、彼女とのあいだを、へだてるものがなにもなかった。何日あわないでいても、安心していられた。だが、いまではふたりのあいだに、幸福というやつが、割りこんでいるのだ。

「しあわせそうだね」

と、私はいったが、そんな言葉ぐらいで、距離がちぢまるわけはなかった。

「うん、いいこと考えたの。ことしの誕生日、一日ずらしてやろうか、と思うのよ。四月一日でしょう。馬鹿馬鹿しいパーティをやるの。馬鹿《フール》パーティというのはどう？　こんど相談にのってよ」

「また電話するよ。べつに変ったことはないね？」

「このごろ、毎日あってるじゃないの。ご覧のとおり、どこも変ったところはないわ」

「そういう意味じゃないよ。骸骨のぶっちがいのついた脅迫状がきたり、朝の紅茶の角砂糖を犬にやったら、血へどを吐いて死んだ、とかいうミステリアスなことさ」

と、冗談めかして、私はいった。

「残念だけど、身代りになってくれる犬がいないわ。あんまり好きじゃないの、知ってるでしょ。ただ、ポメラニアンていうの？　お茶碗のなかへ入るくらい、小さなの。あれなら、飼ってみてもいいけど」

「あれは、だめだ。とても高くて、プレゼントできない。じゃあ、また」

私はタクシーにのりこんだ。車が安藤坂をくだって、水道端から、江戸川橋へかかったころ、私は聞いた。

「さっきのお客、どこからのせたの？」

「渋谷の道玄坂の上からですよ」

と、運転手は答えた。

歌舞伎町でタクシーをおりて、《サンドリエ》によったが、滝口はきていない。千野さんから、いつか話のでた厄落しの会を、十日にやることを聞かされて、そうそうに下宿へ帰った。手記を書きはじめたが、猛烈な眠気に襲われて、とちゅうでやめてしまった。

きょうは午後二時まで寝ていて、滝口に起された。絵をもってきたのだ。大きなつばさのある西洋ふうの竜を、小さな髑髏をならべてつくった輪のなかに、うまくはめこんでかいたもので、悪くなかった。画料をわたして、絵をあずかり、滝口を送りがてら、食事にでた。帰ってすぐ《侏羅紀》の割りつけをやり、片がついたところで、有紀子に電話する。

割りつけはできているけれど、きょうは用があるから、あした届ける、ということわりの電話だ。もちろん、いこうと思えばいかれるのだが、こうすれば二日にわたって、彼女の安全をたしかめられる。有紀子はいつも、はじめて電話をかける少女が、おっかなびっくり話すような調子で、もしもし、という。そのもしもしを聞いたとたん、私は無性にあいたくなった。だが、我慢しなければならない。フレンステッドのモビルのさがった二階の洋間で、彼女はレコードを聞いていたらしい。受話器のなかに、バルトークの『ピアノ協奏曲第三番』が、流れこんできた。有紀子との長いつきあいで、私が感化をあたえたものは、なにもないが、彼女は私に現代音楽をおぼえさせた。ほかにも、愛することの苦しさと、嫉妬のみじめさをおぼえさせた。私は豊かになったのだろうか。

公衆電話からもどって、先日、すこし手をつけた《ギルティ》の翻訳にとりかかった。きのう、だいぶ金をつかったから、こいつを約束どおりしあげて、先月分の原稿料をもらわなければならない。だが、いっこうにおもしろくないので、ひと息ついて、この手記を書く。いまからまた、翻訳にもどらなければならないが、廊下をへだてた部屋で、ラジオだが、テレヴィだか、うるさい音を立てている。銃声が聞えるから、テレヴィの西部劇だろう。

いまは午後七時三十五分。晩めしをくいに出る。

三月九日　木曜

新聞には、ピストル強盗の記事ばかり大きくて、後藤の事件は完全にわすれられてしまった。検事になりそこねた滝の白糸の恋人が、やってこないところを見ると、まだ疑いは私に強まってはいないらしい。

滝口の絵と《侏羅紀》の割りつけを持って、午後から塚本の家をおとずれる。風にあおられながら、アラベスクの鉄門を入ると、女中さんが玄関のドアをみがいていた。

「奥さん、いる？」

と、声をかけると、白い香りを立てはじめた沈丁花のむれのむこうで、つつましい顔がふりかえった。

「はい。お呼びしましょうか」

「いいよ。勝手にあがりこんで、おどろかしてやろう」

私は玄関へあがると、廊下を見わたした。つきあたりに、半びらきのドアが見える。そこはバス・ルームのはずだ。小早川の小説が気になったことを思いだして、私はそのドアに近づいた。

なかをのぞくと、正面はスモーク・ローズいろのウォッシュ・ベイスンで、ぴかぴか光った蛇口が、ふたつついている。その上の大きな鏡に、私の顔が映った。小早川の小説だと、鏡は片びらきにひらいて、ローションやクリームの壜をのせた棚を、あらわすはずだ。それをたしかめようと、一歩ふみこんだとたんに右手のガラス戸がひらいて、吹きつける湯気のなかに、私は有紀子の裸身とむかいあった。海草のように肩へまつわった髪のさきから、したたるしずくを、血色の爽かな胸の皮膚が、さかんにはじいている。私はあわてて、目をつぶった。それでも、目蓋のうらの闇に、ふたつの乳房が、豪奢な外車のヘッドライトみたいに、白くかがやきわたった。

「ああ、おどろいた。泥坊かと思ったわ」

「ごめん、ごめん、ごめん」

「そんなに、あやまらなくても、いいわよ。二階で待ってて。すぐ服をきるから」

「目をつぶったままじゃ、あるけない。もういちど、なかへひっこんでくれないか」

有紀子は笑いながら、ガラス戸をしめた。目をひらくと、石目の一枚ガラスに、量感のある影が、あたたかく輪郭をぼやけさせて、見事な曲線をえがいていた。

私は逃げるように、階段をあがった。踊り場の壁の、円空上人鉈ばつり仏の写真が、妙に私を狼狽させた。おのれの貧弱なペニスが興奮したさまを、そこに晒されたような気がしたせいか。なにも古風にプラトニック・ラヴを誇っているわけではないのだから、恥じるにはおよばない。ただ私は、有紀子の裸身を正視できなかったことに、恋の失敗をいまさら思い知らされて、うろたえたのだろう。

居間の壁には、新しい額がかかっていた。やはり彫刻の写真だが、これは石にちがいない。膝をかかえて、うずくまった裸婦のうしろすがたで、尻と太腿とが巨大にデフォルメされ、その上に折りかがんだ上半身は、蟬のぬけがらみたいに小さい。私は石目ガラスにぼやけた曲線を反芻して、いっそうみじめになった。いつか高島屋のイタリア現代彫刻展で、フォンタナの『自然――空間的概念』という、大きい炭団に割れめをつけたようなテラコッタを、見てきた滝口が、

「すごいエロティシズムだ。おれはどうしていいか、わからない」

と、売春防止法をのろうこと、しきりだったが、抽象美術にまで、敏感に反応する肉欲とは、それがみたされていない証明でしかあるまい。私が押しつぶされた気もちで、大きな尻を見つめていると、

「いいでしょう、それ。《朝日ジャーナル》に紹介が出てるのを見て、写真がほしくなっ

てね。ずいぶん、苦労したわ。ブラッサイの『膝を抱く女』っていうの」

有紀子が千鳥格子《ピエ・ド・プール》のスラックスに、皮のポンチョをきて、はいってきた。

「そこらのミイちゃんが、橋幸夫のブロマイドもほしいし、坂本九のもいいな、旭《あきら》のもっと大きいの、ないかしらっていってるようなもんだな」

「そうかも知れないわ。でも、高額紙幣をあつめたり、権力をあつめるよりは、見場《みば》がいいでしょう? だって、ほかにすることがないんですもの。奥さん業って、退屈なものだわ。台所に出てっても、邪魔になるばかりだし。子どもでも生れれば、べつでしょうけれど」

その言葉は、刺激がつよすぎた。

「男の子ばかり、一ダースぐらい生むんだね。いまみたいに贅沢にならないころには、不細工な男の子をあつめて満足してたんだからな、きみは」

と、私は意地の悪いことをいった。いぜんの有紀子だったら、口もとを硬ばらせたにちがいない。

「きょうはご機嫌が悪いのね。でも、そんないいかたってないわ。満足してたら、こんなことには、なっていないはずだもの」

と、いまは頬笑むだけだった。

「そりゃあ、そうかも知れないが、とにかく出来のいいのは、いなかったよ。こういうのを見ると、いまは目が肥えたらしいけど」

ブラッサイの写真をゆびさしてから、私は有紀子に背をむけた。

「あのころは、ぼくのほうがましだ、と思うことが、多かったな。もっとも、そんな優越感で、どうやら持ちこたえていたのかも、わからないがね。雑誌でみて気に入ると、すぐその写真を壁にかけたくなるくらい、きみはせっかちなんだな。だから、第一印象に支配されて、つぎつぎ、つきあってたんだろう」

「いつもとちがうわね。どうかしたの、瑛一さん？　それじゃ、あたしが淫乱だったみたいじゃない。怒るわよ」

有紀子は私の前にまわってきて、窓ぎわの椅子にかけた。

「清純な淫乱女だったよ」

と、いいながら、彼女の肩を、私はだきすくめることもできたのだ。窓の外には、沢蔵司稲荷の木立が風に騒いでいる。私はそれを、見おろしているばかりだった。

そのとき、清純という言葉をつかったのは、稔の感動とつながっている。銀座裏の酒場の、カウンターのへりについた皮クッションに、肘をもたれながら、チューリップ・グラスをのぞきこんで、

「ぼくは感動したよ」

と、彼がいったとき、私はたちまち、あのねばつくような雨が、紫陽花《あじさい》のまりをゆすっていた陰気な午後を、思い出したものだ。あれはさきおととし――いや、もう四、五年むかしになるだろうか。

「お客さまですよ。杉田さんという女のかた」

と、下宿のおばさんにいわれて、私はあわてて玄関に出ていった。レインコートのしずくで、たたきを濡らしながら、肩をすくめて立っていたのは、よく似てはいたが、有紀子ではなかった。

「ぼくが淡路ですが、杉田さんというと、有紀ちゃんの妹さんの……」

「ええ、有美子です。淡路さん、姉がどこにいるか、ご存じないでしょうか？」

いきなり詰問された感じで、私がとまどっていると、有美子は真剣な眼ざしで、

「姉さん、間借りしていた部屋に、ずっと帰っていないんです」

「どういうことなんです、そりゃあ？　とにかく、あがりませんか。そんな濡れねずみで、風邪ひくといけない」

私は薄暗い三畳へ、彼女を通した。濡れた髪をタオルでふいて、熱い番茶をすすると、有美子はいくらか落着いて、

「あたしがきょう、東京へ出てくることは、知ってるはずなんです。それなのに、駅へむかいにきてくれないし、下宿へいってみると、もう三日も帰らないっていうんでしょう?」

「それで、心配して、ぼくのところへきたわけですか」

「姉のお友だちで、おところを知っているの、淡路さんだけですから」

有紀子が一年ほど、金沢へ帰っていたあいだ――もう六年ばかりも前のことだが、私はせっせと手紙を書いた。この女女《めめ》しい恋の歴史のなかで、多少なりとも積極的だったのは、思えばそのころであったろう。彼女は旧かなづかいの、いかにも城下町の古風な家のしずけさを思わせる美しいペン字で、かならず返信をしてくれた。私の情熱に動かされたわけではない。そんなうぬぼれを、いちども持ったことはなかった。有紀子はただ、東京がなつかしかったのだろう。

「すると、大塚坂下町へいって、引越さきを聞いてきたんですか。そりゃあ、大変でしたね」

「東京は不馴れですから、ずいぶんまごつきましたわ」

「ぼくは有紀ちゃんに、もう半月ぐらい、あってないんです。ほかに心あたりはないんですか」

「千住のおばさんの家に、電話してみました。わからないんです、やっぱり」

「じゃあ、ぼくのほうの心あたりに、電話してみましょう。ここで待っててください」

せまい部屋のなかで、有美子の黒髪のにおいが、不安をかきたてた。立ちあがって、窓の外を見ると、無花果《いちじく》の葉をたたいていた雨は、いくらか小やみになっている。私は背なかをまるめて、近くの赤電話へ駈けていき、銅貨を五枚と時間を三十分もつかって、うところなく戻ってきた。へらへらの襖をあけると、有美子はこちらに背をむけて、畳の上に小さな旗を、たくさんならべていた。布製の旗は白地に笹竜胆《ささりんどう》と、赤地に揚羽蝶《あげはのちょう》の二種類が、やや大きいのと小さいのにわかれていた。ふたつの木の台に、小さな纏《まとい》も一本ずつ立っている。

「なんですか、それは？」

「金沢のお正月のあそび道具で、旗源平といいますの」

「なかなか、きれいなもんですね」

「采《さい》ころをふって、旗のとりっこをするんです。なつかしいから、東京へくるんなら、買ってきてくれって、手紙に書いてあったんで、あたしのおこづかいを千円も奮発したのに
……」

「有紀ちゃんは、あんたがきょう出てくること、知ってたわけですね」

「ええ、駅へつく時間も、知らせときました。だから、あたし、心配なんです。迎えにき

てくれないなんて、よくよくのことだわ」

「ほうぼう電話してみたけど、なんにもわかりませんでしたよ。どうも気になることが、ひとつあるんだが……」

「どんなことでしょう？」

「あんたに聞かしていいかどうか、わからないけど——いまお茶を熱くしてきます。そのあいだに、話すべきかどうか、考えてみますよ。外へでたついでに、なにかお茶菓子を買ってくればよかったなあ」

いびつなやかんに番茶をわかして、私がもどってくると、有美子はボストンバッグから、紙づつみをとりだして、

「お菓子なら、ありますわ。長生殿っていって、金沢では有名ですの。姉から淡路さんにあげてもらうつもりで持ってきてたのに、あたし、すっかりわすれてました」

と、いいながら、紅白の墨形落雁《らくがん》の箱をひらいた。

「風流な名前だな。金沢っていいところらしいですね。いちど、いってみたいと思ってるんだけど」

「静かなだけで、古くさい町ですわ」

「なかなかそうでもないらしい。有紀ちゃんがいつか、死ぬなら国で死にたいって、いっ

てたくらいだから」

不吉な言葉が、なにげなく口からこぼれたのに、私はあわてた。そのとき有紀子は、妻のある男と、日本海から吹きつける凄絶な風のなかを、あすを思わず、暗い影ばかりを長くひいて、あゆんでいたのだ。それを聞いたとき、私がこの言葉を思い出して、虫の知らせを信じかけたのを、ひとは笑うだろうか。

有美子はあくる日、金沢に帰った。ユキコカラダ　ブジ　イサイフミという電報が、私の下宿にとどいたのは、それから三日めだった。

カラダブジという五文字から、私は取りみだした有紀子を想像して、いても立ってもいられなかった。けれど、金沢へもとんでいかなかったし、手紙もださなかった。電報だけでは、相手の男の生死はわからない。だが、いずれにしても、私はそいつに負けたのだ。敗れたものは、じっとしているべきだろう。その男のことを、有紀子から聞いてはいたが、あってはいなかった。いまだにあったことがない。有美子からきた手紙には、

急に病人ふたりをかかえて、家じゅうてんてこ舞いですが、たいした心配はないという、お医者さまの話です。よくなって、彼のほうの問題がかたづけば、姉さんは結婚するはずですが、私にはむしろ、そのほうが心配です。

と、書いてあった。けれど、問題はけっきょく片づかず、男は細君のもとにもどった。有紀子もまた東京に出てきたが、私はなにも、たずねなかった。おそらく塚本も、私の知っているていどには、このことを聞いただろう。だから、感動したにちがいなかった。

三月十一日　土曜

きのうは《サンドリエ》の厄落しの会で、酔っぱらってしまったために、手記を書くことができなかった。まだ二日酔で、あたまは罅《ひび》が入ったみたいに痛い。大野木が下宿まで、送ってきてくれたらしいけれど、その記憶もあいまいだ。

厄落しの会は、午後八時に店をしめて、はじめられることになっていた。私はゆうがたまでかかって、色情狂小説の翻訳五十二枚をしあげ、新宿へでかけた。武蔵野館通りの《ボン》の二階で、《ギルティ》の編集長にあって、原稿をわたし、先月分の稿料一万二千七百五十円をもらう。一枚税こみ二百五十円。推理小説翻訳の通り相場だ。つい三、四年前までは、一枚百円がふつうで、しかも版権の切れた作品を、こっちが探さなければならなかったのだから、あまり文句もいえないが、

「一枚千円か。安いからことわるわけじゃないが、なにしろ忙しくてねえ」

くらいのことを、私もいちどでいいから、いってみたい。来月分の注文をありがたくい

ただいて、編集長とわかれ、《サンドリエ》へいくと、もう幹事の鶴歩先生や、千野さんの顔が見えた。八時半までには、常連ばかり十四、五人があつまった。折詰を膝に、やかんでお燗《かん》した酒を、グラスについで、にぎやかな会になった。私のとなりには、大野木が腰かけて、しきりに推理小説の話をしかけてきた。片どなりは渋江君だった。ドクトルが酔っぱらわないうちに、聞いておこうと思って、ミステリ談義にはあまりのらずに、私は後藤のことをもちだした。

「そういやあ、あのひとは病院の習慣なんか、よく知ってましたね。とくに薬にかけちゃあ、くわしかったな。しろうとにもときどき、ああいう専門家はだしのが、いるもんですよ」

と、渋江君は感服していた。

「きょうは初七日なんじゃありませんか」

となりから、大野木が口をだした。

「一週間めにはちがいないが、死んだ日も勘定に入れるんじゃないかな、初七日ってのは。そうだとすれば、きのうだよ」

と、私がいうと、渋江君は、やかんの酒をついでくれながら、

「どっちにしても、後藤さんの冥福をいのって、おおいに飲みましょう。しかし、警察は

なにをしてるんですかね。捜査本部ができたって話だが」

「どうなってるか、ぜんぜん知らないな」

「淡路さんの捜査のほうは、どうなんです？」

と、大野木が聞いた。

「やっぱり小説のようには、いかないね」

私の返事は、またミステリ論をひきだして、大野木は警察小説をほめそやしはじめた。渋江君からはもう聞きだすこともないし、私も酔いがまわりだして、大野木を反駁した。やつの本格滅亡論に対して、私は推理小説の本質をとき、いま活躍している作家たちを、結城昌治や都筑道夫をはじめ、片っぱし扱《こ》きおろしたら、だいぶ胸がすっとした。そのかわり、目のほうは朦朧《もうろう》としてきた。

カウンターの泊り木では、秋山氏がお得意の心霊学を開陳し、鶴歩先生がその聞き役をつとめるかたわら、となりの阿部君に、国産ガス・ライターと舶来品の優劣を、説明している。いちばん奥では、壁に白紙をはって、漫画家の浪川君が、常連たちの似顔を、マジック・インクでかいていた。《侏羅紀》同人の川上も、新島もきている。紅林もカメラをかまえて、移動しながら、騒いでいた。滝口は凸凹黒兵衛こと妙ちゃんをつかまえて、お腹に絵をかかせろ、とせがんでいる。

「黒兵衛の腹じゃあ、ホワイトを買ってこなきゃだめだぞ。だいいち、マジックじゃあ、先っぽのフェルトがささくれちゃうよ」

と、浪川君がいって、笑い声をまきおこした。妙ちゃんも、負けてはいない。

「色が黒うて、鮫肌で、悪かっちゃったわね。丈夫むきにできてるの、知らないな」

「そこがいいんだ。なんとかいう写真家に、黒んぼ女のヌードばかり撮ったのがある。すばらしい芸術だよ。それを見ていらい、黒光りして、ざらついた肌に、絵をかいてみたくてねえ。たのむからさ」

と、滝口のやつ、大まじめで、ますます妙ちゃんを怒らしている。私はそっちを見、こっちを見、酒をあおっては、折詰の中華弁当をつっついて、あんかけ肉をくいちぎりながら、

「とにかく、エドガア・アラン・ポオに帰らなきゃいけないんだ。現実を模倣することが、推理小説を文学にする道だなんて、大間違いのこんこんちきだよ。グロテスクとアラベスクに帰れ、さ」

と、くりかえして、大野木にからんでいた。視界はますます朦朧となって、浪川君の漫画は紙をはみだし、汚れた壁にアラベスクをかきだした。いつか私も立ちあがって、マジック・インクを手に、『灰皿の灰はとびちっても、また新しい灰皿にあつまろう』と、大

きな文字を壁にかいていた。そのとなりへ、不死鳥の絵をかいたのは、滝口だ。鶴歩先生の書もあるし、浪川君のかいたマスターの似顔も、泣きながら手をふっている。そのほか常連のわかれの言葉で、壁はまっ黒だ。紅林がカメラをかまえる。フラッシュをたいた。私たちは、グラスの酒で乾杯。だれからともなく、蛍の光を歌いだした。

五年前の六月十九日。大通りの新星館前にあった《サンドリエ》は、二十日に取りこわされることになっていた。新星館もろとも、この一郭が証券会社かなにかに買収されて、あとに大きなビルが建つのだそうだけれど、それはまる五年になろうとするいまだに、板囲いしか建っていない。十九日の晩、おわかれパーティを、私たちはもよおしたのだ。やはりやかんの燗酒と折詰の肴で、二十人ちかい常連が、センチメンタルに酔いどれた。川上も、新島もいた。ふたりとも学生で、そのころは熱心な常連だった。紅林はまだ、みとめられてはいなかったが、いっぱしのプロ気どりで、さかんにシャッターを切っていた。有紀子も国へ帰るはずだったのを、一日のばして、くわわっていた。

あすの朝には、こわされる壁に、みんなでわかれの言葉を書いた。古参の常連たちは、この店の経営方針が一時、実利一点ばりの当世ふうに変ったとき、それに反対して、ピケを張った思い出を語りあい、もうこんな寛《くつろ》げる店はできないだろう、となげいてから、秋山氏と握手して、帰っていった。いつのまにか、十一時をすぎて、残っているのは五、六人だった。糸のきれたあやつり人形みたいに、酒でつぶれて、椅子で眠っているのもいた。私も酩酊《めいてい》した。有紀子もかなり、酔ったらしい。湯あがりのような顔をして、あたまを壁にもたせたまま、ぐったりしている。袖なしの黒いチュニックに、長い髪が蜜のようにかかって、組んだ腕の白さが目立った。となりの川上が話しかけても、返事をしない。

私はすこし、眠ったのだろう。目をひらくと、川上が上半身をひねって、有紀子の上におおいかぶさっていた。彼女は物憂げに、顔を動かしただけで、くちびるを盗ませている。私はいきなり、川上の襟をつかんでねじあげ、往復びんたをくらわしてやろうか、と思った。だが、そんなことのできる私なら、彼のずうずうしさを、うらやましがりもしなかったろう。

きょう目がさめたのは、午後三時だった。じっさい、ゆうべはよく飲んだ。厄落しの会は十一時ちょっと前に、おひらきになったのだが、川上や新島、大野木など五、六人で、青線あとの飲み屋にくりこみ、午前三時ごろまでとぐろをまいた。

どうせ、きょうはなにも出来ない。いま寝床のなかで、手記を書いていても、あたまのなかに画鋲がいっぱい、つまっているような気がする。これではとても、的確な文章を書くことはおぼつかない。いい加減でやめて、映画でも見にいくとするか、その前に、塚本の家に電話をかけて、有紀子の身に異変がないか、たしかめなければならない。口実はなんにしよう。

三月十二日　日曜

きのうも、きょうも、有紀子の家には、なにごともない。《侏羅紀》の原稿が、印刷屋に入ったかどうか、入ったとすれば、校正はいつごろ出るといっていたか。それが、きのうの口実だった。初校はそれぞれの原稿を書いたやつが見るにしても、再校はどうせ私にまかされるのだから、出校の日どりを知っておく必要があったのだ。

きょうは電話口に有紀子を呼ばないで、運転手に出てもらった。来月〆切の《ギルティ》の原文を読んでいたら、やたらに自動車のことが出てきたので、どう日本語にしたらいいいか、教えてもらう口実だ。なにか事件が起っていたら、運転手はかならず知らしてくれるだろう。だが、私の聞いたことは、そのままカタカナで書いておくのが、いちばんわかりやすいでしょう、と意見をのべてくれただけだった。それにしても、

「べつに用はないんだが、声を聞きたかったものでね」

と、なぜに有紀子にぶつからずに、私はいちいち、口実にこだわるのか。だいいちにこ

の口実は、だれに対してのものなのだろう。この場合は、私自身に対してのものにちがいない。つまりは有紀子にむかって、傾斜した心そのものよりも、私が気にかけていたのは、その傾斜角度が他人および自分の目に、洗練された鋭角として、うつるかどうか、ということだったのだ。これでは、恋の手つづきをとる手もとばかりに目がいって、かんじんの相手は見うしない、ついには手もとも、ぶざまなことになるのは、あたりまえだろう。

三月十三日　月曜

村越警部補に、寝こみをおそわれた。戸をたたく音に、重い目蓋をおしあげると、時計は九時半だった。

「午前ちゅうなら、かならずいる、というお話だったんで、起しにきましたよ」

と、笑いながら、警部補は靴をぬいだ。

「起されるのは、いっこうにかまいませんが、なんなんですか、きょうは？」

蒲団をたたみながら、私は聞いた。

「まあ、どうぞ顔を洗ってください。一分一秒をあらそう話じゃあ、ありませんから」

と、村越は笑っていたが、台所からもどった私が前にすわると、いちおうまじめな顔つきになって、

「このあいだは、ありがとう。おかげで、だいぶわかってきました」

「なんでしょう、こないだのことって？」

「葛飾から電話をくれたじゃないですか。後藤の部屋に、医学の専門書があるのが、気になるって」

と、私は聞いた。

「ああ、あれですか」

「もっとも、正確にいうと、あれは薬学の本でしたがね。それでまあ、こっちも気にして、その方面をしらべてみたんです。後藤は臨床データのブローカーでしたよ。もっとも、おもちゃの考案家というのが、ぜんぜんうそだ、という反証もないから、兼業だったのかも知れないが」

「なんですか。その……」

「製薬会社が新しい薬を売りだそうとして、厚生省に申請するときには、臨床データをつけなければ、いけないんだそうです」

「そうらしいですね。ぼくも聞いたことがある。医者につかわせてみるわけでしょう?」

「たいがいは製薬会社に、たのみつけの医者があるらしいんだが……」

「かかりつけって、わけですな」

「なかには、がめつく金をつかわせる医者もいる。製薬会社のほうも、なるたけいいデータを書いてもらいたいから、金をつかうらしいんだが、あまりあくどくやられちゃかなわない。そこで、両方が満足いくように、あいを取りもつ人間があらわれた。まあ、ブローカーですな」

「後藤氏の職業は、それだったんですか」

「ええ、それから、古川という男ね、細君のところへ押しかけていった」

「あいつの正体も、わかったんですか。やっぱり、餅屋は餅屋だな」

「しっぽを出しては、いませんでしたがね。錦糸町のほうの工事現場で、発見されましたよ」

「発見された？　というと、つまり……」

「つめたくなっていたんです」

「自殺ですか。まさか、他殺じゃあ……」

「事故死かも知れないし、他殺かも知れない、というていどです。まだ、いまのところはね。ひどく酔っぱらってたらしい。そのいきおいで、鉄骨へよじのぼって、おっこちた、とも考えられる」

「突きおとされた、とも考えられるわけですね」

「もちろんですよ」

「それで、どういう男か、わかったんですか」

「後藤が死んだのを、知らないはずでね。古川は今月の六日に、刑務所を出てきた男なんです」

「刑余者か。なるほどね。いったい、なんの罪で入ってたんです?」

「傷害です、こんどは」

「というと、前科《まえ》があるわけですね?」

「ええ、いろいろと……恐喝に、麻薬所持に、ヒロポン密売に」

「ヒロポン?」

「ご存じでしょう? ひところ、はやった覚醒剤」

「もちろん、知ってますよ。八、九年前には、ぼくもヒロポニア・ジャポニカのひとりでしたから」

「なんですか、そりゃあ」

「ぼくらの仲間で、ヒロポン中毒者を、しゃれてそう呼んでたんです。『夏瘠せと答えてあわれヒロポニア』などという句も、あってね。もっとも、ぼくはせいぜい、一日十アンプルぐらいまでしか、進まなかったな。それに、一気に原稿を書くためにだけつかって、仕事が片づくと、眠りつづけるようにしたのがよかったんでしょう。手に入りにくくなるにしたがって、自然とやめられましたがね。友だちのなかには、命を落したのもいますよ。

夫婦そろって、ヒロポニアでね。一日じゅう雨戸をしめきって、目貼《めばり》までして、蚊屋んなかで暮してました。ありゃあ、中毒がひどくなると、他人ぜんぶが自分を監視してるような、一種の被害妄想が起るんです。それで雨戸を目貼して、しめきっておく。もっとひどくなると、天井から白い粉みたいな小さい虫が、あとからあとから、あめ雪みぞれと降ってくる、という妄想が起るんだそうです。蚊屋んなかにいても、目からこぼれてくるんだ、といってましたよ。あれを射ちすぎると、皮膚が乾いて、しょっちゅうチクチクしてるような気が、するせいなんですがね」

「なんでもくわしいんだな、淡路さんは」

「有害無益で、手軽に親しめることならね。それで、事件はどう展開したわけですか」

「見かたがだいぶ、変ってきましたよ。いままでは、もっと特殊な事件じゃないか、と思っていたんですが」

「というと？」

「白状しましょうか。ぼくは淡路さんを疑ってたんですよ、じつは」

村越警部補は、シルクハットのなかから、うさぎをつかみだした奇術師みたいに、にやりと笑った。

「冗談じゃありませんよ。なんども、力説したじゃないですか。ぼくには、動機がないでしょう。もっとも、力説するところが怪しいといわれれば、それまでだけれど」

「そんなことは、いいませんよ。たしかに、表面的な動機はない。けれども……」

「さがせば出てくるだろう、というわけですか」

「そんなあやふやなことで、特に目星をつけたりはしません。常識的には動機がないようだけれど、あれは予行演習だ、と考えることも、できると思って」

「ええ?」

「リハーサルですよ。そら、落語に——なんといったかな、そう、『ためし酒』とかいうやつがあるでしょう? 酒を何升か、いっぺんにのむ賭をする話。のめるかどうか、おもての酒屋で、ためしてきた、という」

「あのでんで、ぼくが小説のために考えた方法を、可能かどうか、実地にためしてみた、というんですか。そりゃ、ひどいな。いくらなんだって、売れるか、売れないか、わからない原稿のために、人殺しはしませんよ」

「小説につかう方法を、ためした、とは考えなかったんですがね、ぼくは。人殺しをする勇気が、自分にあるかどうかを、ためしたんじゃないかって」

「それじゃ、本番があるっていうんですか」

「さあ、どうでしょう。あるいはリハーサルだけで、おじけづいて、やめてしまう気になったのかも知れない」

警部補は、へたな落語家が、さげをいう直前のように、もっともらしい顔をした。と思うと、その顔を笑いにくずして、

「こういう設定は、推理小説のほうでも、目新しいんじゃないですか。とんでもない嫌疑をかけたおわびに、お気にめしたら、つかってもいいですよ」

私は村越の面積のひろい顔を、見つめつづけた。じっさいの警察官にも、こんなことを考えるやつがいるのか、と呆気にとられたのだ。村越も笑いながら、私を見つめている。その目は冷静に、こちらの反応をうかがっていたにちがいない。

「警部補さん、本気でそんなこと、考えてたんですか」

と、私はいった。

「いえね。あなたを犯人と想定した場合、いやに動機に自信がありそうだったから、これでも一所懸命、あたまをしぼったんです」

「そう見ぬかれちゃあ、いやでも本番はあきらめざるをえませんな。まあ、冗談はとにかく、さしあたっては、後藤と古川のあいだのつながりをさがしだすのが、捜査本部の仕事というわけですね」

「そんなところですかな。本来なら被害者のコーヒーに、毒を入れるチャンスのあった三

人――淡路さんもそのひとりだけれど、この線からわれてこなきゃ、いけないんですがね。どうも、うまくいかない」

「というと、秋山氏も、大野木君も、後藤とむすびつかないんですか」

「だから、リハーサル説なんて、推理小説みたいなことも考えたんですよ」

と、警部補はいった。


「しかし、毒を入れるチャンスがあったのは、きみたち三人だけじゃ、ないんじゃないかな」

「どうして？」

「もうひとり、いるってことさ。後藤自身をわすれちゃいけない」

「自殺だっていうのか、きみは」

「そうじゃない。後藤氏は毒じゃなくて、薬のつもりで、自分のコーヒーへ入れたってことも、考えられるだろう」

と、中沢は得意そうにいった。

村越捜査係長が帰ったあと、私が座蒲団をならべ、毛布をかぶって、二度寝をしているところへ、《告白》編集長はたずねてきたのだ。ちっとも連絡しないものだから、彼は大きな口をとがらして、怒っていた。

「電話をしなかったのは、ぼくも悪いが、決して遊んでたわけじゃないんだぜ。葛飾までタクシー代をつかっていって、後藤の細君にもあったし、淀橋署の捜査係長からだって、ずいぶん情報をひきだしたよ」

と、私は弁解した。

「それなら、けっこうだがね。タクシー代をこっちへ請求されても、困るぞ。なにしろ、事件そのものが小さいんだから、あんまり日がたってからじゃあ、取りあげられないよ。読者はとっくに、そんな事件があったことなんか、わすれちまってるだろう。きみが犯人をつきとめられりゃとにかく、名探偵失格の記じゃ、もうだめだな。だから、なるたけ経費のかからないように、やってくれ」

「きみはいつ、ケチンスキー社長どのの養子になったんだい？　だいぶ似てきたぜ。こっちはたったひとりで、しらべていこうというんだからね。切りつめられたんじゃ、かなわない。だいいち、まだ一銭も貰ってないんだから」

「だから、きょう一万円もってきたよ。金がなくて、ぜんぜん動いていないんじゃないか、と思ってさ。それで、どうなってるんだ、捜査本部のほうは？」

「目鼻どころか、まみえもついてないらしいな」

私は村越警部補から、聞いたばかりの話をした。容疑者が私をふくめて三人にしぼられているのに、その三人からはなにも出てこないので、困っているらしい、というと、中沢は、チャンスがあったのは三人だけじゃあるまい、といいだしたのだ。

「後藤がだまされて、自分で毒を入れたってのは、おもしろい見かただがね、たしかに。でも、かなり不自然だな」

と、私は反対した。

「どうしてだよ」

「後藤はいちおう、薬学の専門家にちかいわけだからね。だますのは、むずかしいだろう」

「そうでもないさ。薬を警戒するのは、かえってしろうとのほうだ。とにかく、ひとつの可能性ではあると思うな。だからね。臨床データ屋としての後藤を、洗いあげてみる必要があるぜ」

「そりゃ、そうだな」

「きみのシナラの檀那さまは、薬屋だったろう? あいつのことを、知ってるかも知れないぞ。聞いてみたら、どうだい?」

「うん」

「シナラといえば、こないだ、妙なところで彼女にあったぜ。いや、こりゃあ、話さないほうがいいかな。きみが絶望すると、いけないから」

「そんな気になることをいったあとじゃあ、話さないほうが、もっと悪いぜ」

「あんまり、名誉なところじゃないんだよ、あったのが。もっとも、おれの誤解なのか知れないんだがね」

「秘密映画の会かなんかで、あったのか」

「いや、おれのほうはべつに、不名誉な状態じゃなかったんだ。タクシーで、通りすぎただけだからね。ところは渋谷の道玄坂上で」

「道玄坂上？　そりゃあ、七日の夕方じゃないか」

有紀子がのってきたタクシイで、表町から新宿まで帰った晩のことを思いだして、私は聞いた。

「なんだ、ありゃあ、きみだったのか。そうだとすると、おめでとうをいわなけりゃいけないのかな。おれはあの♨マークの前を、タクシーで通ったんだよ。出てきた女が、どうも有紀子さんなんだな。となりが、気のきいたお座敷洋食の店なんでね。どっちから出てきたのかは、わからない。けれど、なんとなく秘密のにおいがしたよ。わざとつれとは離れてるって、感じでね」

私の頰は、クリーニング屋からもどってきたばかりのホワイトシャツみたいに、硬ばっていた。

三月十八日　土曜

手記を四、五日おこたったのは、有紀子の身辺に、なにごとも起らなかったのと、私の調査にも、きわだった収穫がなかったせいだ。もともと日記をつけたこともないし、原稿だって、できれば書きたくないくらい、なまけものの私だから、これということがなければ、この束見本もひらきたくはない。

けれども、五日のあいだには、記録しておかなければならないような気がしたことも、いくつかある。事件そのものは、私が気をとがめずに手記をなまけられる方向に、進行しているようだ。新聞にはとっくに、一行の関係記事もでなくなったし、大野木と秋山氏の身辺をさぐるために、私は毎日、《サンドリエ》に顔をだしているが、だれも後藤の話をするものはない。

事件が起ってから、まだ半月しかたっていないのに、わすれないでいるのは、私と中沢と捜査本部の連中だけであるようだ。ひとの噂も七十五日といって、日本ではむかしから、ふた月半たつと、たいがいの事件はわすれられることになっているが、英語国ではおなじような意味を *a nine days wonder* という。ふしぎなことでも、十日めにはわすれられてしまう、というわけだ。日本のほうが、六十六日よけいに噂が長もちしたのは、それだけむかしは、ひとの記憶力にも、余裕があったのだろう。

いまでは、わすれっぽさも先進国なみになって、いちばんなまなましく、おぼえていなければならないはずの後藤の細君までが、

「あたし、もうわすれたわ」

と、けろりとしている。もっとも、これは私の聞きたがりを封じるつもりで、いったことかも知れないから、額面どおりにはうけとれない。

このところ私は連日、寝床を正午にはいだして、四時まで翻訳をやる。《ギルティ》のこんどの仕事は、二百枚くらいの中篇なので、〆切まぎわにあわてないように、手をつけはじめたのだ。四時に切りあげて、有紀子の無事を電話でたしかめてから、新宿にでる。《サンドリエ》で九時ちかくまで時間をつぶし、地下鉄で浅草へいって、馬道よりの酒場《びいどろ》をのぞく。酒をのむのが、目的ではない。山岸とよ子の口をほぐすために顔をだすのだが、場所が酒場だから、ぜんぜん酒をのまないわけにはいかない。いくらかは酔っぱらって、下宿へかえることになる。したがって、すぐ寝床にもぐりこむ。だから、

『猫の舌に釘をうて』の束見本は、本棚におさまりっぱなしだ。

はじめて《びいどろ》にいったのは、中沢が怒ってやってきたあくる日で、私は陰気な雲にふさがれた夕方、紫木蓮が塀に黝《くろず》んだ塚本の家をたずねた。後藤肇を知ってやしないか、稔に聞くつもりだったが、まだ帰宅していなかったので、二階で有紀子とさしむかいになった。彼女はいつものように、物憂げな様子で、自分から口をひらこうとはしなかった。私はやりきれなくなって、タバコに火をつけると、いちばん気になっていたことを、いきなり聞いた。

「こないだ、きみは道玄坂上から、車にのったんだね」

「そうよ」

と、有紀子は黒いスラックスの足を組んだまま、無造作に答えた。

「映画を見にいったんだろう、と塚本はいってたが……」

「ちがうわ。順二さんとあってたの」

「小早川と？」

「あのひとの兄さんに、紹介されたのよ。関西のほうから出てきて、紙箱の会社かなんか、つくるんですって。うちのひとの会社の仕事を、とりたいらしいのね。あたしに話をしたって、しようがないのに――お座敷洋食の凝ったお店へ、つれていかれたわ」

私はこの返事で、満足することにした。その店へいけば、ほんとうかどうか、かんたんに聞きだせることなのだから、うそはつかないだろう。それとも、私がたしかめになど、いかないことを見こして、安心しているのだろうか。そう疑っても、もちろん、私はたしかめになど、いきはしないけれど。

私は黙って、有紀子の顔を——八年たったいまでも、意味のつかめない静かな微笑を、見つめていた。それは、美しいメカニズムの扉をもってはいるが、なかにはついに、なにが入っているかわからない、小さな鋼鉄の金庫のような顔であった。たとえば七年前の、あの稲妻に飾られた夏の夜ふけ、新宿の終夜喫茶で、むかいあわせにすわった彼女から、私はなにを読みとることが、できただろうか。

スイング・ドアの琥珀《こはく》いろの一枚ガラスに、濁って見える深夜の新宿には、ちょうどきょうみたいに、はげしい雨がふっていた。四時をすぎたいまでも、いっこうにやむ気色《けしき》がないので、私は外出をあきらめて、電灯をつけ、この手記を書きだしたのだ、雨は山茶花の生垣を、マラカスのように鳴らしている。だが、あの晩は雨だけでなく、雷がはげしかった。青じろい稲妻と、タクシーのヘッドライトが、強く弱く、雨のしぶきを槍の穂さきのように、光らしていた。

終夜喫茶のなかは、うす暗い。もう十二時はとうにすぎて、朝まで腰をすえる気の客ばかりだから、ほとんどが靴をぬいでいる。一日じゅうはいていた靴下のにおいは、それも一足や二足分ではないのだから、すさまじい。店のなかには一種、異様な臭気が立ちこめている。それが馴れると、エキゾティックで猥褻《わいせつ》な香水を、嗅いでるような気がするのだから、妙だ。今夜はおまけに、しめった洋服のにおいがまざって、空気は重苦しく澱んでいる。私は全身を、フレンチ・トーストにされてるみたいな気分で、原稿を書いていた。

そのころ私は、よく終夜営業の喫茶店で、徹夜の仕事をしていたのだ。

私の前にだれかがすわったので、顔をあげると、有紀子だった。黒い袖なしのブラウスに、ひらたい胸をつつんで、黒いタイト・スカートからのぞく撞球《たまつき》の白い玉のような膝の上に、黒い大きなバッグをのせ、長髪は濡れて、絹糸の束みたいに重たげだった。

「妙なところで、あいますね」

と、私が声をかけると、白い大きなハンカチで、裸の肩をぬぐっていた有紀子は、目をまるくして、

「おどろいたわ。淡路さんだったの。でも、ほかのひとでなくて、よかった。今夜はひどくみじめなの」

「雨でかえれなくなったんですね」

「かえりたくなくなったの。車で送ってくれる、といわれたんだけど、断ったわ」

「また、だれかにつきまとわれたんですか」

「あたしのほうが、つきまとったのよ。みとめるのは癪だけれど、失恋したらしいわ」

「へええ、あなたでも、恋をすることがあるのかな」

「そんなに、無感動な女に見える？」

「そういう意味じゃないですよ。いつでも恋をされるがわじゃないか、と思って」

「そんなに隙だらけ？」

「困ったな。そういう意味でも、ないんだけれど——だいいち、いまだって、失恋して悲しんでるようには、見えませんよ。とても生き生きしてて」

「雨のなかを歩いて、からだがほてってるせいよ、きっと。シャワーをあびたあとみたいに、全身が生きているって感じなの、いま。ときどき、こういうことがあっても、いいのかも知れないわ。あたしって、まるでなまけものなのよ。外がわから、なにかの力で動かされないと、生きているって気がしないの。淡路さん、そういうことない。いつでも生きてるって、実感がある？」

「実感にもなにも、そんなこと、考えてる余裕がないですよ。あなたはなまけものじゃなくて、欲ばりなんじゃないかな」

「そうかも知れないわ。いまだって、あなたの仕事する時間を、とりあげてしまっているくらいだから」

そのときいらい、有紀子はいつでも勝手に、私の時間をとりあげている。あくる日、私はおかげで、けちな雑誌の編集者に、あたまをさげなければならなかった。そのくせ彼女は、気合術の本を売る縁日の野師《やし》が、地面に円をえがいて、そこまでしかお客をよせつけないように、私を恋の見物人にしかしてくれないのだ。

私には安手の雑誌に、重宝がられる才能しか、ないかも知れない。金にも、あまり縁がない。だから、恋をする資格がない、ということはないだろう。げんに有紀子の相手には、私より、つらもまずいし、才能もないし、金もないやつが、いくらもいた。どうして私だけが、冷遇されなければならないのだろう。いま、これを書いているお膳の上には、阿部君が貸してくれた世紀末詩人の詞華集が、ダウスンのページをひらいて、のっている。

I have been faithful to thee, Cynara! in my fashion.

われはわれとてひとすじに、恋いわたりたる君なれば、あわれシナラよ。

なにがシナラだ。私は有紀子を my fashion で愛しつづけて、満足しているような精神主義者ではないのだ。彼女の乳房を、私はこの手でおおいたい。裸の胸に耳をあてて、心臓の音を聞きたい。充血した粘膜を、私の肉体で実感したいのだ。塚本の家の二階で、むかいあった有紀子の口から、渋谷のお座敷洋食の店で出た鮎並《あいなめ》のチーズ焼の話を聞きながらも、私が食欲を感じていたのは、彼女のくちびるだったのだ。

だが、そこへ塚本稔が帰ってこなかったとしても、私はつばをのんで、ただ我慢していたにちがいない。稔は、後藤を知らなかった。それだけ聞いて、私はひきさがった。沢蔵《たくぞう》司《す》稲荷の前に、立ちはだかっている大木を見ると、ひどく劣等感をおぼえて、酒がのみたくなった。けれど、あくる日、中沢にあう約束がしてあった。そのとき、ろくに報告することがなかったら、また怒られるにきまっている。後藤の細君が、浅草の酒場につとめているのを、私は思いだした。酒はそこで、のむことにした。

三月十九日　日曜

《侏羅紀》の校正で、半日、塚本の家にいた。

有紀子は無事。

夜は《びいどろ》ですごす。山岸とよ子は、私が彼女に気があって、通ってくるものと思っているらしい。

三月二十一日　火曜

有紀子は無事。

ひさしぶりに、村越警部補と電話で話す。捜査本部は古川の死を、他殺と見ているらしい。私は運命のまわりあわせを、信じはじめた。考えてみれば、有紀子と知りあったのも、偶然といっていいだろう。男にさそわれて困っている彼女に、口実をつくってやったのは、私の意志だとしても、柄にないことを、ふっとやる気になったのは、ひととひととを嚙みあわせる運命の歯車に、巻きこまれたせいとしか思えない。それに独協中学いらい、離ればなれの生活をしていた塚本稔と、ふたたび、つきあうようになったのも、まったくの偶然だった。

しかも、そのとき私はひどく酔っていた。池袋で古い友だちの出版記念会があって、そんなお祝いをやってもらったことのない私は、うれしさで乾杯もしないうちから、赤くなっている友だちが面憎《つらにく》く、やたらにのんだ。二次会にまでくっついていった天罰で、みんなとわかれると、にわかに立っていられなくなり、私は往来のまんなかで、手をふった。

あわててとまった黒塗の車を、私は白タクと判断して、

「おい、中野の上高田までやってくれ」

と、運転手に顔を近づけた。すると、相手はまじまじと見あげて、

「もしかすると——淡路じゃないのか。ええ？　淡路菊太郎だろう。そうだよ、たしかに」

それが、塚本稔だったのだ。十年の余を、へだてて、こんな再会もあったのだから、おなじ後藤のコーヒー茶碗に、私が風邪薬を入れ、さらにだれかがテトロドトキシンを入れた、という偶然も、ぜんぜん否定することは、できないだろう。

そうだとすれば、有紀子の命には、なんの心配もないわけだ。

私も手記を、書かなくてすむ。

三月二十三日　木曜

探偵の仕事は色恋とおんなじで、私のように押しのきかない人間には、むかないらしい。山岸とよ子は、私があまり後藤のことをほじくりかえすものだから、巣をあらされた鼹鼠《もぐら》みたいに、腹を立ててしまった。秋山氏からも、大野木からも、これと耳だったことは聞きだせない。やけを起した私は、メグレ警部のまねをして、

「ぼくはきみを疑ってるんだから、しっぽをだすまで、つきまとうよ」

と、大野木にいったら、やつは毀《こわ》れたサイレンのように、笑いがとまらなくなって、

「どうぞ、ついてきてください。本籍地へ身もとを照会するんだったら、教えますよ」

と、名刺のうらに書いてから、《サンドリエ》を出て、タクシーをひろった。もちろん私も、六十円の車をつかまえて、あとを追った。溜池の暗い通りに、ネオンの虹をきらめかしているナイトクラブに乗りつけて、やつは私がつくのを待ってから、ドアマンにドアをあけさせた。もちろん私は都電にのって、すごすごと家にかえった。

推理小説では、警察官や、新聞記者や、大きな組織を背景にした人間が探偵役をつとめるものより、徒手空拳の個人が苦労に苦労を重ねて、犯人をつきとめる話を、私はこのむが、現実では金もひまもない人間に、しろうと探偵はできないのだ。それとも、後藤の細君からも、秋山氏からも、大野木からも、なんの手がかりもつかめないというのは、やはり偶然の介在はなく、あの事件の犯人は、私だということなのだろうか。

とすれば、有紀子が心配で、私は夜もねむれないが、一日じゅう彼女のそばに、くっついているわけにはいかない。いっそのこと、村越警部補になにもかも打ちあけて、有紀子の保護をたのもうか、とさえ思うことがある。だが、私は牢へ入るのは、いやだ。

三月二十五日　土曜

きょう私は、山岸とよ子を、《サンドリエ》につれていくことに、成功した。秋山氏と大野木の前に、いきなり彼女を立たせて、反応を見るのが、目的だった。けれど、結果は失敗だった。

新宿駅についたのが、午後四時二十分すぎだったから、大野木は《サンドリエ》にきているはずだった。きのう顔をあわせたとき、あいつは栗鼠《りす》みたいに、白い大きな前歯を見せて、にこっと笑うと、

「淡路さんは、いやに遠慮ぶかいんですね。あとから入ってくるのは、ぼくのつれだって、ちゃんとボーイにいっといたのに」

と、いいやがった。その彼が思いがけない女の登場に、ぎょっとするかも知れないと思うと、私は勇みたった。もしも大野木が犯人だとすれば、自分が殺した男の細君と、犯行現場でとつぜん顔をつきあわしたら、かならず動揺するにちがいない。

けれど、とよ子をさきに立てて、《サンドリエ》に入っていっても、彼はおどろかなかった。秋山氏の表情も、あやしげな動きは見せなかった。

「ふたりとも、見おぼえはなかったかい?」

と、店を出てから、私は聞いた。山岸とよ子は、つまらなそうに首をふって、

「ぜんぜん、知らないひとたちだわ」

「奥のテーブルにいた男もだね。あれが、大野木っていうんだ」

「ほんとに知らないわよ。でも、ちょっといかすじゃない、あの男」

「そんなことは、どうだっていいがね。がっかりだなあ。せっかくきみを川むこうから、ひっぱってきたのに」

「あたしも、がっかりだわ。もっと、すわっていたかったのに。ねえ、これからどうするの。どこへいくのよ」

「きみはそろそろ、店へいかなきゃいけない時間だろう。駅まで送っていくよ」

「二日酔で、あたまが割れそうなの。電話をかけて、お店はやすむわ。あんた、十円玉もってない?」

「とにかく、ぼくはこれから、いかなきゃならないところがあるんだ」

私は銅貨を一枚、木魚の座蒲団みたいに分厚い手のひらへ、のせながらいった。

「あら、十円玉ひとつで追っぱらうつもり？　あたし、乞食じゃないのよ。お店をやすむんだから、晩ご飯ぐらいおごんなさいよ」

と、とよ子はからだをもたせかけた。私はよろけそうになりながら、顔をしかめた。塚本の家へ、私はいかなければならなかった。一分でも早く、稔に聞きだしたいことが、あったのだ。汚れたからだで、有紀子の前に立つのはつらかったが、彼女のためにも、私のためにも、たしかめておかなければならないことを、耳にしたのだ。ゆうべ本田渋江町、庚申荘のとよ子の部屋で。

昨夜、老婆の歯ぎしりのような音のする《びいどろ》の板扉を、私がおしあけたとき、とよ子は、赤い中国服の足を派手に組んで、かなり酔っている様子だった。うす暗いあかりにも、私の顔は見わけられたらしく、むきだした太腿をぴしゃりとたたいて、人参《にんじん》のお化けみたいに、ふらふらと立ちあがると、

「あら、聞きたがり屋さんがきたわ。今夜は、なんでも喋るわよ。だから、のましてね。なにを聞きたい？　あたしが処女を失ったときのこと、話そうか」

「ずいぶん、酔ってるじゃないか。まだその上、のめるのかい」

「そんな心配すると、ますます背が低くなるよ。ビールで我慢するから、じゃんじゃんのまして」

と、スプリングのゆるんだ椅子に、私をおしつけながら、とよ子はいったが、店にいたあいだは、じゃんじゃんのむどころでも、なんでも喋るどころでもなかった。

「もう看板の時間だろう。アパートへかえれるかな。そんなに酔って」

「酔わしたのは、あんただよ。送ってきてくれるんだろう。いえさ。送りたいんでしょ、助平野郎」

と、いったと思うと、意外にしっかりした足もとで、立ちあがりながら、私の耳にささやいた。

「おもて通りのタバコ屋の横で、待ってて」

なにも私は、彼女が荒れているのをいいことに、なんとかしようという気が、あったわけではない。いまの言葉つきから察するに、朋輩とのあいだに軋轢《あつれき》があって、酔いを誇張していたらしいので、こういうときにさしむかいになれば、なにか聞きだせるのではないか、と思ったのだ。

京成四ツ木駅のそばで、タクシーをおりると、ゆられて酔いが出なおしたらしく、とよ子は私にからみついて、なかなか足を動かさなかった。

線路の築堤ぞいの泥道は、ひどく暗く、斜面の草が、かすかな風に鳴っているほか、私たちの靴音も聞えなかった。片がわには、割下水といいたいようなどぶをひかえて、軒のひくい人家がならんでいるが、どれも空家みたいにまっ暗で、ときおり汚れた窓ガラスを、おぼつかなく明るませている電灯は、私たちを警戒する猫の目のようであった。

いまにもあふれそうなどぶの水は、にぶく鉛いろに光って、貧しい異臭をただよわせていた。とよ子の重いからだをかかえながら、私は送ってきたことを、後悔しはじめた。土どめの板が腐って、どぶの水があふれだしているのが、傾きかかった街灯の光で、すぐ足のさきに見てとれた。

「もうすこし、しゃんとできないかな。こんなにたるんでちゃ、水たまりを越せないぜ」

私がいうそばから、ハイヒールの足がもつれて、あっという間に、とよ子は泥水に膝をついた。

「だから、いわないこっちゃない。立ってくれないと、ここへおいてっちまうぞ」

「起しとくれよ。逃げたりしたら、大声をあげるから。卑怯者」

「しようがないなあ」

街灯のさきで、道はふたつにわかれ、ひとつは曲って、古ぼけた家なみをぬう露地になり、ひとつは、柿いろのよだれかけをした石地蔵に見まもられながら、線路の下をくぐっている。その小便くさい小さなトンネルを、私はとよ子をひきずって、くぐりぬけた。

ようやくアパートへたどりついて、彼女の部屋のドアを、あたりに気がねしながら、あけたときには、私はすっかりあきらめきっていた。

「それじゃあ、ぼくは帰るよ」

「あたいをこんな泥だらけにしたまま、立たせとくつもりかよ。だいいち、蒲団が敷いてないじゃないか」

とよ子は、せまい土間に立って、アドバルーンみたいに、ふらふらしながら、いった。

「ひどいもんだな。蒲団はどこに入ってるんだ?」

「そこの押入だよ」

私は靴をぬいで、あがりこんだ。天井の電灯をひねり、蒲団をひっぱりだして、敷きおわったとき、

「ちぇっ、スリップまで汚れちゃった。処置なしだね」

と、とよ子のつぶやくのが聞えた。はっとしてふりかえると、ピンクのスキャンティひとつの肉塊が、溶けかかったアイスクリームのように、私のほうへ傾ってきた。

「馬鹿みたいに立ってないで、掛蒲団をめくんなよ」

「まるで赤ん坊だな」

と、かすれた声でいいながら、掛蒲団をはねた私の腕に、とよ子はぶらさがって、

「いつになったら、服をぬぐの、あんた?」

「あかりを消そう」

「消さなくてもいいよ。だれものぞきゃしないから」

私はその日、塚本からもらった《ハッタリ》を肩と胸に貼っていた。私が蒲団にもぐりこむと、とよ子は両手両足でからみついてきながら、

「あら、薄荷のにおいがする」

「肩がこるんで、《ハッタリ》を貼ってるんだ」

「ああ、あれ。《ハッタリ》っていう名前、後藤がつけたんだって、いってたわ」

「後藤が？」

政府発行の紙きれで、気がるに女を裸にできる街がなくなってから、何年ぶりかで、濃く甘い体臭に隙間なくつつまれて、思考力をうしないかけていた私も、はっとしてわれにかえった。

「ほんとうかい？」

「なんだか知らないけど、そういってたのは事実よ。おれがつけた名前のおかげで、もうけてやがるって」

「いつ聞いた、それ」

「いっしょに寝て、こんないたずら、やりだす前に」

と、笑いをふくんでいいながら、とよ子は蒲団のなかで、ゆびさきを絶妙に動かしはじめ、私はたちまち、潮の香のする藻のしげみに男をとらえて離さない、なま暖かい海に溺れた。だが、《ハッタリ》という名前は、後藤がつけたのだ、という女の言葉だけは、疲《ひ》弊《へい》した朝がやってきても、痺《しび》れたあたまの奥にのこっていた。

塚本稔にあって、聞きだしたいのは、そのことだった。新宿駅前で、とよ子から逃げだすと、私はタクシーで表町へ急いだ。稔は会社から、もどったばかりだった。

「いつか聞いてみたい、と思ってたんだがね。《ハッタリ》という名前は、きみがつけたのかい」

と、ころあいを見はからって、私はたずねた。

「そうだよ」

無造作に、塚本はうなずいた。

「だれからも、ヒントはもらわなかった?」

私があきらめずに問いかけると、稔は妙な顔をして、

「ううん。そんなことは、あったかも知れないな。あのときは、いろんなひとの意見を聞いたからね。それが、どうかしたの?」

「いやね。こないだ、きみが知らないってったろう、後藤という男。あいつが、《ハッタ

リ》って名を考えたのは自分だ、といってたらしいんだよ、細君に」

「へえ、おかしいな。後藤なんて男は、ぜんぜん知らないんだがね」

と、塚本は首をかしげた。

そこへ、有紀子が入ってきて、

「きょうこそ、ゆっくりしていってくれるでしょう、瑛一さん？　四月一日のパーティの相談にも、のってもらいたいし……」

と、壁の黒檀の書棚によりかかりながら、あまえるような笑顔で、いった。その手は棚の上から、柄に土人の神様みたいな彫刻のある短剣を、鞘ごと取りあげて、もてあそんでいた。ちょっと見ただけでは、それが刃物とはわからなかったので、

「なんだい、そりゃあ？」

と、私は聞いた。

「インドネシヤの短剣だよ。千葉医大の後輩で、東南アジア視察にいったのがいてね。ゆうべだったか、帰朝のあいさつにきたんだ。そのお土産さ」

と、稔が説明してくれた。

やはり私は、あらいざらい村越警部補にうちあけて、有紀子を保護してもらうべきだったのだ。階段下の小部屋の床に、あおむけにたおれている彼女のすがたが、きのうの夜の蛍光灯にてらしだされたとき、後悔の貝にかいなく足をはさまれて、私は身うごきもならず、ただ立ちすくむばかりだった。

ムンクの小男は声のない悲鳴をあげて、クービンの山なす髑髏はうつろな目で、アラン・キューニイの肖像写真は痛ましげな視線で、納曽利《なそり》の面は嘲笑うような鼻さきで、有紀子の死体を見おろしていた。黒いドレスの左の胸に、死神の舌みたいに刃さきの曲ったインドネシヤの短剣が、厳然とつきささっている有紀子のつめたい肉体を。

四月二日　日曜

三月三十一日の誕生日を一日くりのべて、しゃれた遊びの会をひらこうと、彼女が発案した馬鹿《フール》パーティは、四月一日の午後六時半から、表町の塚本の家でもよおされた。ひるから金策にあるいていた私が、小さな鉄片を折りまげただけの、黒いブラウスに黒いスラックスをはいたとき、似あいそうなイヤリングを、ようやく誕生祝に買いととのえて、駈けつけてみると、もう主客あわせて二十人ちかくが、広間の食卓をかこんでいた。

　まんなかの椅子には、花壇のようなバースデイ・ケーキを前に、銀のドレスの有紀子がすわって、みんなからの贈りものをうけていた。西独キッス・ブッペン社製の大きな手縫人形、といったまともな（もっとも、鴉を肩にとまらせた魔法つかいのお婆さんの、身長五十*cm*ぐらいのやつだから、まるっきり常識的でもなかったが）ものから、角砂糖を彼女の名前と音のかよった雪に見たてて、齢のかずだけおさめたイタリイ螺鈿《らでん》の宝石箱、といった大いにしゃれた気らしいもの、質札にそれをうけだせる金額の贈答用小切手《ギフト・チェック》をそえて、品物は出してからのお楽しみという（これはだいぶ、知恵をしぼったらしい）小意地の悪いもの、プラスティックの函に入れ、真紅のリボンを薔薇むすびにしたフランス製のうんこの模型、という悪趣味なものまで、披露されるたびに、喚声があがった。

　宣伝の小早川と、紙屋の新島と、写真の紅林が、合作して贈ったのは、有紀子がブロードウェイのミュージカルに主演したときのポスター、という想定で、わざわざ一枚だけ刷らせた豪華なものだった。これはすぐ、彼女のうしろの壁に貼りだされた。この大好評のあとで、私が憂鬱になりながら、貧しい小箱をさしだすと、有紀子はひらいて、それまでしていた真珠のイヤリングをはずした。

「ありがとう。とても似あいそうだわ」

あのやさしい心の持主を、私は殺してしまったのだ。ほかにはだれも、彼女に危険がせまっているのを知らなかったのだから、責任は私にある。やはり村越警部補にうちあけて、保護してもらうべきだったろう。

誕生祝の食事がおわり、遊びの時間になってからも、私は雰囲気にとけこんではならなかったのだ。人びとがあつまり、浮かれて不注意になっているときこそ、犯人にとって、またとない機会だ、ということを、私は気づかなければいけなかったのだ。油断だった。とりかえしのつかない油断だった。まったくの偶然によって、阻止《そし》できた第一回のアタックから、あまりにもあいだがあいていたために、つい安心してしまったのだが、考えてみれば犯人は、不可解な失敗に慎重になって、じっと機会を待っていたにちがいない。そして、失敗をくりかえさないように、あんな大胆なことを、やってのけたにちがいないのだ。

犯行はパーティに酒がまわって、放縦になった十時半ごろ、おこなわれたらしい。みんなは、二階にあつまっていた。それまでにも新しい遊びが、いろいろこころみられていた。はじまりは階下の広間で、食卓を片づけてから、みんなが絨緞《じゅうたん》の上に輪になってすわった。左まわりに番号をとなえて、3と5のつく番号、3と5で割りきれる番号にあたったひとは、数のかわりに、豚の鳴きまねをする。それを間違えたものは、罰として酒をいっぱいのまなければならない、というゲームで、これでみんなが酔っぱらった。ただし、審判役の塚本稔と、この遊びを前から知っていた私、それに小早川があんがいうまくやって、罰則をまぬがれていた。

一座が陽気に、臆面なくなったところで、こんどは、風船わり、というゲームをやった。男と女がひと組になって、両手をうしろに組み、むかいあって立ったおなかのあいだに、ゴム風船をはさむ。手はいっさいつかわず、たがいにからだを押しつけあって、いちばん早く風船をわった組が、勝というわけだ。風船を落したときにも、手でひろってはいけない。ふたりが一致協力して、足と胴とでもと通り、風船をはさまなければいけないことになっている。その恰好を想像しただけでも、これがお色気たっぷりの、おとなの遊戯だということが、わかるだろう、私が審判役で、有紀子は小早川と組んでいた。ふたりの腹のあいだで、青葡萄いろのゴム風船がゆがむのを見ていると、私はあたまに血がのぼって、ほかのカップルへ目がとどかず、一等と二等をきめそこなって、文句をいわれた。

いまのゲームのヴァリエーションで、全員がふた組にわかれ、男、女、男、女、の順列をつくって、膝にはさんだ一本のバナナを、手をつかわずにうけわたしするバナナ・ボート遊びや、男女が組んで二階の寝室へかけあがり、服の上からパジャマとネグリジェの着せっこをして、タイムをあらそう新婚旅行ゲームで、みんなは笑いころげた。私の新妻は、紅林がつれてきた若いモデルだったが、新郎の不器用さで、ピースひと缶、チョコレートひと函のビリッカス賞を獲得した。

そのあと、あれがはじまったのだ。私は階下でコーヒーをのみ、みんなのいる二階の部屋へあがってくると、ドアのところで、新島の声がした。

「男じゃつまらねえよ。淡路、きみのあとから、女性がこないか」

私はふりかえって、階段の下に、銀いろのドレスをみとめた。

「有紀ちゃんがくるよ」

「そりゃあすごい」

と、紅林がいって、私を部屋のなかへひっぱりこんだ。ドアのかげには、川上がまっ白なシーツを両手にひろげて、立っていた。銀のドレスが、敷居にひらめくと同時に、川上はそのシーツを、入ってくるからだにかぶせた。みんなが、笑い声をあげた。

「有紀子さん、観念しておすわんなさい。シーツをとってはいけませんよ。いまから、われわれの命令に、いっさい服従しますか」

と、新島がもったいぶった声でいった。白いシーツをかぶったあたまが、大きくうなずいて、雪達磨みたいに絨緞の上にうずくまった。

「誓いますね？」

と、紅林が笑いをこらえながら、いった。

シーツがまた、うなずいた。

「それでは、スリッパをぬいで、シーツの外へだしてください」

と、ビールのグラスを片手に、川上がいった。

「その次は、靴下をぬいでいただきますかな」

と、中久保がつくり声でいった。シーツの下から琥珀いろのナイロンが、ガラガラ蛇みたいに飛びだすと、女たちは笑った。このいたずらの意味が、私にもわかってきた。

この家の自動車で送られて、四、五人、女がかえったあとだ。部屋のなかには、男のほうが多かった。見まわすと、塚本稔と小早川がいない。

「こんどはイヤリング」

スウェーデン刺繍の円いクッションの上に、だらしなく横ずわりした女が、はしゃいだ声をあげた。私はすみにおしつけたテーブルに近づくと、タンブラーに飾り壜《デキャンター》のウイスキーをつぎ、水でわって、ひと息にのんだ。

隣室へつづくドアがあいていて、小早川と塚本稔が、イヴ・タンギイの駒で、チェスをやっているのが見えた。水わりをもう一杯こしらえて、私が円陣にもどったとき、

「こんどは大物、服をぬいでもらいましょうかね」

と、川上がいい、女のひとりが、きゃあっと喚声をあげた。車座のまんなかで、豹の毛皮まがいのスリッパや、ストッキングや、イヤリングを、まわりに散らばしたシーツの小山が、もぞもぞと動いている。やがて銀いろのドレスが、巨大な蟬のぬけがらみたいに、ほうりだされた。

新島が手をたたいた。女のひとりが、けらけら笑いながら、いった。

「もうそのへんで、降参したほうがいいんじゃない、有紀子さん？」

「降服はみとめないね。さっきの誓いをわすれちゃ、困りますよ」

と、中久保がジンジャーエールの壜をふりまわしていった。私は水わりのウイスキーをのみほしてから、

「こんどはコルセットだよ、有紀ちゃん」

「そのへんから、あとがわからない。経験が浅いからね。女性の助言がいただきたいな」

「あら、紅林さん、かまととね」

と、円いクッションを尻に敷いた女が、色っぽい目つきをした。

「とんでもない。ぼくは婦人科じゃないからな」

「とにかく、なんかぬいでもらおうじゃないか」

と、川上がいった。私はからのタンブラーを、テーブルにおきにいった。隣室をのぞく

と、小早川のすがたが見えない。塚本がひとりで、チェスの盤をにらんでいた。

女たちが、きゃあっと騒いだので、ふりかえると、シーツの下から、レースのついたパンティが、白い手でつまみだされるところだった。中久保はジンジャーエールの壜のさきに、下半分だけのブラジァをひっかけて、悦に入っている。

「こんどは立ちあがって――」

と、紅林がいった。白いシーツが半びらきの傘みたいになると、裸の足が腿までのぞいた。新島と川上が、シーツのはじに手をのばした。

「アン・ドゥ・トロワ！」

紅林の掛声といっしょに、ふたりの男は、さっとシーツをひきおろした。女たちが、あっと口走った。見事な乳房の胸を張り、両手を腿のあいだに組んで立っていたのは、さっき新婚旅行ごっこで、私のパートナーをつとめた若いモデルだったのだ。

「ちぇっ、いっぱいくったな。がっかりだ」

川上の声が、いかにも無念そうに聞えたので、女たちは笑った。

「こいつは推理小説そこのけの、意外な結末《サプライズ・エンディング》だ。いつ服を換えたんだい？」

と、新島が聞いた。モデルは笑って答えずに、シーツをからだに巻きつけると、甦《よみが》えったミイラみたいな恰好で、部屋からとびだしていった。

「いまの遊びを、やろうっていいだしたのは、きみじゃないのか、紅林」

と、私はいった。写真家はあたまをかいて、

「見やぶられたか。じつは有紀子さんにたのまれてね」

そのときだった、するどい悲鳴が階下から聞えたのは。

私たちは、廊下へとびだした。隣室からは、塚本稔と小早川がとびだしてきた。階段の下で、いまおりていったばかりのモデルが、片手でずりおちかけたシーツをおさえ、片手で小部屋をゆびさして、まっ青な悲鳴をあげていた。私は一気に階段をかけおりた。

小部屋のドアは、あけっぱなしになっていた。天井の蛍光灯も、ついていた。床には、有紀子がたおれていた。胸の短剣に気づいた私は、敷居ぎわに大手をひろげた。

「だれも入っちゃいけない。塚本、きみだけ入って、息があるかどうか、しらべてくれ。なるたけ、まわりにさわらないように」

稔は部屋へ入って、彼女のそばにひざまずいた。けれど、すぐ青ざめた顔をふりながら、立ちあがった。

「死んでる」

「だれか警察へ電話をかけてくれ」

と、私はみんなをふりかえって、

「警官がくるまで、広間で待ってることにしよう」

「あたしの服が……」

モデルが半分、泣声でいった。

「有紀ちゃんの着てるのが、そうなのか」

「いいえ、あの椅子の上に」

と、彼女は小部屋のなかをゆびさした。

「しようがない。二階へいって、さっきの有紀ちゃんの服を着るんだな」

みんなが正気にもどりすぎた顔つきで、広間に入ると、

「ぼくが手つだうから、みんなにコーヒーを出してくれ」

私は女中と家政婦役の運転手の細君をうながして、台所へいった。ふたりに聞いておきたいことが、あったのだ。

「きみたち、ずっとお勝手にいたの？」

「はい」

「だれか奥の階段をつかって、二階へあがりおりしたものは、なかったかな？　この一時間ぐらいのあいだに」

「さあ、流し場におりますと、廊下は見えませんから。でも、階段の足音は、あたまの上

に聞えますわ。淡路さんがコーヒーをおのみになったあと、あがっていらしたのは、存じていますもの」

「ありがとう。それだけ、聞きたかったんだ。コーヒーをたのむよ」

私は台所を出ると、奥の階段から二階へあがり、モデルが有紀子のドレスを着ている部屋を、のぞいた。

「ちょっと聞いておきたいことが、あるんだがね。きみはその服を着て、小部屋を出てから、すぐ二階へあがったのかい」

「いいえ、玄関のわきの鏡のところで、しばらくお化粧を直してましたわ」

「ああ、あの凹所《アルカヴ》の鏡か。あそこからじゃ、廊下は見とおせないね。けれど、鏡になにか映らなかった?」

「ええ」

「きみが小部屋を出てきたときには、有紀ちゃんは生きてたんだろうね」

私のいいたいことがわかったらしく彼、女は水をかぶった障子紙みたいに、白けて、ゆがんだ顔になった。

階下には、目と鼻の富坂警察から刑事たちが到着して、声がさわがしかった。私は女をうながして、みんなのいる広間へおりていった。

私たちはけさまで、塚本の家にいた。眠っていいことになっても、眠るどころではない。黒く隈のういた目で、たがいの顔を不安げに見まもりあって、夜をあかした。いま私は疲れきった手を、のろのろ動かして、この手記をすすめている。これ以上は書けそうもない。けれど、もうすこし記録しておかなければならないことが、残っている。

兇行は十時半前後——つまり、紅林のつれてきた女が、銀のドレスで小部屋を出てから、メロスのアフロディテみたいな恰好で、かけもどったときまでの小一時間のうちに、おこなわれたのだ。

私が台所でコーヒーをのんでから、奥の階段をあがりかけたとき、廊下にはだれもいなかった。玄関の凹所《アルカウ》には、女がいた。鏡にすがたを見られずに、正面の階段をあがることはできない。女のあとからあがったとすれば、シーツ遊びをやった部屋のドアは、あけっぱなしだったから、とうぜん私が気づくはずだ。奥の階段をあがれば、女中たちに足音が聞える。もっともスリッパをぬいで、忍び足になれば音も立つまいが、二階のどの部屋に入ったのだろう。あのとき、ほかにひとのいた部屋は……。

塚本有紀子殺害の犯人を、読者はすでに察知されたことと思います
が、伝統にのっとって、筆者はここに、半ばおそるおそる、半ば自
信をもって、読者の頬に手袋を投げます。といいますのは、これも
伝統にのっとって、筆者があからさまに残しておいた手がかりを、
おそらくは見おとされたろう、と思うからです。読者は探偵役の人
物とおなじ推理材料を、あたえられているのですから、あてずっぽ
うでなく、論理的に犯人を指摘してください。
塚本有紀子を殺したのは、だれか？

四月六日　木曜

いったい、だれだ。だれが、こんな推理小説めかした読者への挑戦なんぞを、私の手記へ書きこんだのだろう。この手記を、私の留守ちゅうに、読んだものがあるのだ。そして、自分には犯人がわかったぞ、と自慢しているのだ。これは、私にむかってのチャレンジなのだ。だが、チャレンジャーは、なにものだろう？

私は三日ばかり、塚本の家に泊りこんでいた。きょう午後八時ごろ、大塚坂下町へかえってきて、留守にしたあいだのことを記録しておこうと、『猫の舌に釘をうて』の束見本をひろげてみると、こんな挑戦の言葉が、書きこんであった。この部屋の戸じまりは、鍵がかかっている、というのも恥ずかしいような、古ぼけた南京錠ひとつだ。折釘一本で、あけられる。

けれど、部屋のなかは、私の体臭のしみこんだ乱雑さのままで、他人がひっかきまわしたあとはない。どうして、この手記を見つけることができたのだろう？

四月七日　金曜

けさ、大野木がたずねてきた。彼は太いふちのめがね越しに、痛ましげな目つきで、私の顔を見つめた。ぼんやりとレンズに映ったふたつの顔は、皮膚が乾いて青ずんで、目のまわりに、コンテでかいたような輪ができていた。

「もしかすると、いないんじゃないか、と思ったが、警察へいく勇気はでなかったようですね」

と、大野木はいった。

「読者への挑戦を書いたのは、きみか」

と、私はいった。

「ええ。ぼくもまんざら、無理解じゃないことがわかったでしょう、本格推理小説のおもしろさに。お気づきになったと思いますが、最初の〈読者〉というのは、挑戦状の読者である淡路さんのことですよ。最初の〈筆者〉というのは、挑戦状の筆者であるぼくのことですがね。その次の〈筆者〉は、あの手記の筆者であるあなたのことだ。ぼくはあの手記を読んだだけで、犯人がわかりました。だから、あんないたずらをしてみたんです」

「手記を書いてることが、どうしてわかった?」

「東見本に記録を書いておくってのは、いい考えだと思いますよ。けれど、自分が悪口いってる作家の本じゃ、うまくないな。いつか《サンドリエ》で会があったとき、あなたを送ってきたでしょう、ぼく。あのとき、本棚を眺めて、おやっと思ったんです。ちょうど、推理小説論をしたあとでしたからね。きらいなはずの都筑道夫の本が、一冊だけある。寄贈本で、しかたなしにおいてあるのかな、と思って、ひっぱりだして見たんです。あなたは正体なくねむってましたよ。もちろん、そのときは、はじめのほうをちょいと読んだだけです。ひと晩お借りしていって、こんど精読したわけですが、感心しました。本格派だけあって、たいへんフェアですな。もっとも都合の悪いことは、書いてないようだけれど」

「たとえば、どんなこと?」

「たとえば、馬鹿《フール》パーティの構成者が、あなただ、というようなことは、省略してあると睨みましたがね、ぼくは」

「どういう理由で?」

「手記を読めば、あなたが有紀子さんを、どれほど大切にしてたか、よくわかります。だから、もしシーツ遊びのトリックを知らなかったとしたら、とちゅうでみんなをとめてるはずですよ。あなたはそれほど、酔ってなかった、と書いてある、ちゃんとね。酔っぱらった男たちの前で、有紀子さんが裸にされるのを、黙って見ているはずはない。それなのにあんたは、『こんどはコルセットだ』なんて、声までかけてる」

「わかったよ。あんなこと書かなきゃ、よかった」

「あんたは臆病なんだな。事件の関係者の前での言動は、正確に書いておかなきゃ、気がすまなかったんでしょう。死体が発見されたあと、女中とモデルが、なにか気づきはしなかったか、ちゃんと確かめてるくらいだから」

「なんのことだ、そりゃあ」

「しろうと探偵の役を買って出ないと、あやしまれる、と思いこみすぎてやしませんか。もっとも、あのときは身の安全をたしかめなきゃ、いられなかったせいだろうけど。後藤が殺されたときは、すこし神経質すぎましたよ。細部にこだわると、全体が見えなくなるもんです。第一の殺人のとき、淡路さんはコーヒー茶碗にばかりこだわって、水のグラスのことを見のがした。村越警部補のいい草じゃないが、後藤は水ものんでるんですからね。しろうと探偵としては、水のグラスも保存を命ずるべきでしたよ。ぼくはあとでそれが気になって、あなたを疑いはじめたくらいですから」

「まるで、ぼくが犯人みたいないいかただな」

と、私はいった。その声に力がないことは、自分でもわかっていた。

「ええ、あなたが犯人ですもの。どうしても、そういういいかたになりますよ」

子どもを諭《さと》すような口調で、大野木はいうと、本棚からこの手記をひっぱりだして、

「ここにちゃんと、書いてあるじゃないですか。もっともあなたは、わが身をすくう最後の切札に、これをつかうつもりだったらしいが……遺作にふさわしい出来ばえですよ。こういう段どりになっていたら、たいがい、ひっかかるでしょう。ぜんぜん白《しら》をきるんじゃなくて、過失致死で助かろう、というんだから」

「後藤まで、ぼくが故意に殺した、というのか、きみは」

「もちろん」

「動機がないじゃないか、動機が」

「後藤の場合ですか？　それはぼく、村越警部補が明確に指摘している、と思いますがね」

「リハーサルだっていうのかね。馬鹿馬鹿しい」

私はそっぽをむいたが、大野木は平気な顔で、最後に村越警部補がたずねてきたときの

記述を、手記のなかからさがしだした。

「これを書いたときは、つらかったでしょうな。警部補にいわれたときの冷汗を、またかきなおしたんじゃないですか。けれど、リハーサルは成功でしたね」

「ふん、どうして？」

「これで読むと、あなたは後藤を手にかけたことを、ちっとも後悔していない。すこし異常なくらいですよ。やっぱり平凡人より、超越した感覚をもってるのかな？　過失致死を信じる立場で考えてもね。自分が殺した男の細君と、かんたんに寝ちゃったりして」

「なんとでも、いいたまえ。後藤のことはとにかくとして、ぼくが有紀子を殺すどんな動機があるのかね」

「そこが、おもしろいところですよ。あなたは最初、塚本稔を殺すつもりだったんじゃないですか。ニコラス・ブレイクを例にひいて、予言してるのは、象徴的ですよ。有紀子を殺す動機ができたとき、あなたは計画を変更したんだ。象徴的といえば、都筑道夫はこの本のエピグラフに、ワイルドの詩を引用してますね。気障で古くさい、とあなたは批評しているが……」

大野木は、そのページをひらいてみせた。

「Yet each man kills the thing he loves, ――あなたは手記を書きつぐたびに、この詩を

読んで、影響されて、愛するものを殺す気になったんじゃないですか。ぼくも学生時代にワイルドは読んだんで、思いだしてみたんですが、この引用につづく部分に、たしかこういう一節がありますよ。The kindest use a knife, because／The dead so soon grow cold.――とりわけ心やさしきものは、ナイフをつかう、なぜならば、死体がたちまち冷たくなるから、とでも訳すんですか。象徴的ですな」

と、大野木は私の顔をのぞきこんだ。

この男、そんなことまで知っていたのか！

「それが、説明になるのかね、ぼくが有紀子を殺した動機の？」

「ならないでしょうな。とにかくあなたは、彼女と小早川ができてるってことを知って、殺意をいだいたんです」

「たちまち、俗に墜ちたな」

「お気に召さなければ、動機の問題はおあずけにして、犯行の証明にうつりましょうか」

「証明できるものならね」

「モデルが小部屋から出て、凹所《アルカウ》に入った直後、あなたは小部屋にとびこんで、有紀子さんを殺した。うしろから抱きすくめて、短剣をさしたんじゃないですか。コーヒーをのみながら、チャンスを待っていたわけですよ。奥の階段から、二階へあがり、モデルよりさきに、みんなのいる部屋へ入った、とまあ、こういう考えかたしかできない、と思うんです」

「どうして？」

「関係者はみんな、二階にいたんでしょう？」

「女中と家政婦いがいは、だよ」

「犯人はシーツ遊びのトリックを、知ってるものに限定されてるんです。二階にいた連中で、犯行が可能なのは、あなたがほのめかしているように、塚本稔と小早川だけ——というよりも、小早川だけですね。塚本はずっと隣室にいたんだから」

「まあ、そうだな」

「しかし、彼は犯人ではありません」

「いやに自信ありげだね」

「ええ、めしも喉に通らないくらい、悲しんでますよ、弟は」

私は呆気にとられて、大野木の顔を見つめた。

「き、きみが小早川の……」

「姓はちがいますが、兄です。ただし有紀子さんを、渋谷のお座敷洋食に招待したおぼえは、ありませんよ。あなたもたしかめにいって、ご存じの通り。そういえば、あのことも、手記には省略してありましたね」

「ぼくの負らしいな。きみのような読者がいて、本格推理小説のためには、よろこぶべきことだ。ただ、それだけの話でね。いまの推理は、法律をうなずかせる力のない、心理のロジックから出発してるってこと、わすれないでくれよ。この挑戦状に、読者は――つまり、ぼくだな。犯人がわかっているはずだが、手がかりを自分で書きのこしてることには気づいていまい、といういいかたをしてるあたりには、ぼくも敬意を表するがね。物的証拠は、なんにもないんだぜ」

「わかってます。だから、自首をすすめにきたんですよ。有紀子さんのいないこの世に、未練はないあなたじゃないんですか？」

大野木は静かにいって、腰をあげた。

「どうも、お邪魔しました」

大野木がかえったあと、私はこの手記を膝において、長いあいだ、身うごきもしなかった。虚勢にこった肩は、あざやかな推理にほぐされて、胸をはる力もうしなった。

塚本稔を殺すつもりで、おのれの勇気をためすために、なんのゆかりもない後藤肇を殺し、のちに計画をひるがえして、有紀子を殺したのは、たしかに私だ。塚本稔の命をうばおうとしたのは、彼女が有紀子を幸福にしたからだ。彼女を幸福にできる人間が、私いがいにあってはならなかったのだ。

私は有紀子のために生れ、有紀子は私のために生れた、と信じたい。それほど大切な女を殺す気になったのは、小早川のようなくだらぬ男と、彼女が情事をもったからだ。このことが塚本に知れ、有紀子を知るものに知れたら、どうなるだろう。彼女は周囲の男たちから、つねに愛されていなければ、生きていけない女であって、これまでは肉体の不渡手形をちらつかせ、男たちをひきつけていたのが、人妻になったいまとなっては、手形を落すよりしかたがなくなった、と思われはしないだろうか。

有紀子は、そんな女であってはならない。

彼女の名誉をまもるために、私は殺す決心をした。いまこそ、臆面もなくいうことができる、愛していたから、殺したのだ、と。

I have been faithful to thee, Yukiko! in my fashion. ——われはわれとてひとすじに、恋いわたりたる君なれば、あわれ有紀子よ。

こんな愛しかたしかできなくて、すまない。

まだ束見本の紙数はだいぶのこっている。たいがいのひとは白いページが何丁かつづけば手記はもうおわりだと思いこんで一枚一枚しらべはしないだろう。そこがつけめだ。ことにこうして喉によせて行数をうんとへらして書いておけば本をたわめてページをはじいてみても気がつくまい。また気がついたところでかまいはしない。やつらが困るだけだろう。やつらはこの手記を証拠につかって私にすべての罪をおっかぶせてしまうつもりらしいが私だって利用されてばかりいるものか。この文章に気づいたところでインク消で消してしまうわけにもいくまいし破きとってしまうわけにはなおさらいかない。破いたら作為のあることが明らかになって証拠としての信憑性《しんぴょうせい》がなくなるばかりだ。

大野木がこの束見本をもっていかなかったのは千慮の一失というやつで私にとっては天の助けだろう。あいつが見かけによらない推理力を発揮して指摘したとおり有紀子を殺したのは私にちがいないし途中で計画を立てなおして手記に故意の省略をもうけたのも事実だが後藤肇を殺した罪まで背おわされてはたまったものではない。

大野木のやつが論理をおもんじた天才探偵ぶりを見せ逆に私のほうは警官小説めいた足の探偵ぶりになったのは考えてみれば皮肉だが私だって後藤を殺した真犯人をちゃんと突きとめているのだ。ただ手記にはそれを書かなかっただけだ。大野木は取引に応じなかったから私も意地をわるくして自供書になってしまったこの手記のうしろに爆弾をしこんでおいてやろうと思う。こいつが爆発したら光進製薬は跡かたもなくなってしまうだろう。

大野木は午後十時まで私をおどしたり賺《すか》したりして手記の最後の部分を書かせ今しがた帰っていった。またすぐやってくるはずだから早くこれを書いてしまわなければいけない。

後藤肇を殺したのは私ではない。私がコーヒー茶碗のなかに入れたのは単なる風邪薬だった。そのカップは私が背をむけると同時にテトロドトキシン入りのカップとすりかえられた。風邪薬入りのコーヒーをのんだのは大野木なのだ。後藤をたずねて使いがきたのも偶然ではもちろんない。あの若僧は大野木の話だとその足で東京駅から汽車にのって今では長崎市内のバアでバーテンダをしているそうだ。

後藤肇は大野木が小早川の兄だったように塚本稔の兄であった。長男だったが裕福で厳格な家の息子によくあるタイプで薬学校を出るとすぐ詐欺事件を起しそれは揉みけされたが塚本の家とは絶縁のかたちになったらしい。稔はこの兄と組んで光進製薬がまだ経済的に苦しかったころにヒロポンの密造を大がかりにやった。《ハッタリ》をつくったのも実は後藤だったようで稔はこのふたつに加えて近く発売する水虫の特効薬についても日陰の兄の才能を利用して成功してきたわけだが後藤もそれを金づるにしてつまりゆすりをやっていたのだ。

ヒロポンの密売人仲間との交渉はすべて後藤がやって稔はかげに隠れていたのだが古川

の出獄が近くなって古川に弱みのある後藤は稔にこれまでにない大金を要求した。稔は大野木をつかって今は用のない危険なばかりの存在の後藤を抹殺し恐喝のたねの書類を盗みとる決心をしたのだ。これだけのことを私が探りだしたきっかけは滝口の言葉のなかにあったのだから考えてみるとおかしくなる。私はある日手記を読みかえしていて滝口が「塚本といえば後藤さんは気の毒なことをしたな」といっているのに気づき最初それを聞いて記録にとどめたときには画家だけあって塚本と後藤が似ていることを無意識に気づいていたのだろうと思ったのだが考えるとおかしくも思えて滝口にあって確かめてみると滝口の返事はおどろくべきもので《サンドリエ》の前で後藤と若い男が立話をしているわきをあ

の事件の当日滝口が通りすぎたとき後藤が若い男に「塚本からのつかいか」といったのを小耳にはさんだのだそうだ。もうひとつは表町の家にあった円空の仏像の写真で滝口が後藤から円空のことを聞いたというのが私には気になりだして有紀子に聞いてみると稔の死んだ兄さんが撮ったものだという。とたんに私は独協時代に稔から兄のうわさを聞いたのを思い出し本籍地の区役所をしらべて死んだのはうそだと知った。ひとが肉親について死んだとうそをつくときはなにか不名誉なことがあるに決っている。私は塚本と大野木の関係をつきとめれば事件は解決すると確信した。

だが、有紀子の夫の罪を私があばくわけにはいかない。罪は世に知らさずに私が死刑執行人にならなければならない。しかしその計画は大野木の推理した通り変更され告白どおりの動機で私は有紀子を殺さなければならなくなった。そのためには第一の殺人はやはり偶然によって私が有紀子をすくい後藤を身代りにしたことにしておかなければならない。もちろんそれは私の保身のために。

けれども今はすべてがどうでもよくなった。やつらはこの手記を証拠に私を犯人として殺すだろう。死体は罪にさいなまれて自殺したとしか見えないような発見のされかたをするにちがいない。第一の事件の犯人が第二の事件の探偵になり第二の事件の犯人が第一の事件の探偵になったのは本格推理小説としてもユニークで現実にそんなことになったのは大いに皮肉だがどうやら勝負は私の負だ。いつもあらゆることで負けつづけてきた私だからそれもいいが負けかたにも意地のいいのと悪いのがある。いまの私にできるのはせめて意地悪な負けかたをすることだ。もうじき大野木がもどってくるにちがいない。私はどんな殺されかたをするのだろう。やつはこのどんでん返しに気づくだろうか。だいいちこの証拠をどんなふうにつかうつもりか。私はひとつ提案をしてみるつもりだ。この束見本を通りがかりの新刊書店の棚につっこんでおくことを。都筑道夫の新作のつもりで手にとった読者は読んでびっくりするだろう。推理小説を読むほどの読者ならきっと淀橋警察の村越警部補にこの手記を届けてくれるにちがいない。もう時間がなくなった。あの足音は大野木かも知れない。いやに自信にみちた歩きかた。あの自信たっぷりの手にかかったら私も道を迷わずに有紀子のいるところへいけるだろう。

私はこの事件の探偵であり、犯人であり、そしてやっぱり、被害者にもなりそうだ。

「アダムと七人のイヴ」

Adam and 7 Eve

第2話 SCUBA DO, OR DIE

第1話は「やぶにらみの時計」（徳間文庫）に収録されています。

　店のまんなかに、楕円形《だえんけい》の置き舞台があって、アップルグリーンのサマードレスをきた若い女が、その上に立っている。スリーブレスのサマードレスは、まるで長い矩形《くけい》の布を、からだの前後に垂《た》らしたみたいに、両わきが腋の下から裾まで離れていた。それを銀いろの飾り紐が、ところどころで繋《つな》ぎとめている。そのスリットからのぞいた肌が、ドレスの中にはなにも着ていないことを、教えていた。

「オープンフランクス（脇びらき）のサマードレスでございました」

　天井のマイクロフォンから、女の声のアナウンスが、客席にささやきかける。ドレスの女は、職業的な微笑をまきちらしながら、舞台をおりた。せまい通路をひきあげてゆく腰のあたりに、テーブルの男たちの目が集中する。

「次にご紹介いたしますのは、昨年アメリカで話題になりましたトップレスに代って、来たるべき夏のトップ・ファッションをねらうボトムレス水着でございます。新らしいアイディアの胸ポケットにも、ご注目ください」

通路をすすんできたモデルの水着は、腰から上が荒いネットになっていた。両胸につけた大きなポケットが、ちょうど乳房《ちぶさ》を隠している。腰から下は、ありきたりのビキニのパンツと変りがない。ただ後ろの幅が、前よりずっと狭くなっている。

「ボトムレスだなんて気を持たせて、わかりやすくいえば、フンドシ・スタイルじゃないですか」

と、すみのテーブルで、高野栄二が小声でいった。

「それにあのポケット、なにを入れろっていうんでしょうね」

「水のなかでも書ける万年筆があるよ」

鐙《あぶみ》一郎が、大まじめな顔でいった。紫に藍のまじったイタリア染めのポロシャツの襟から、白と銀鼠《ぎんねず》のなかに、わずか臙脂《えんじ》をきかしたペイズリーのアスコット・マフラーをのぞかして、青みがかったグレイの上下を、身につけている。

「いつでも、こんなことをやってるんですか、ファッション喫茶店って?」

「さあね。待ちあわせ場所にここを選んだのは、ほかの客に興味を持たれて、聞き耳をたてられる可能性が、少いだろうと思ったからさ。プレイボーイのきみのほうが、こういうところには詳しいんじゃないかな」

「プレイボーイなら、こんなところに来ないでしょう。高くてまずいコーヒーを飲んで、モデルを眺めてるだけじゃ、つまらない」

「それもそうだな」

「そんなことより、あれは手に入ったんですか？」

「箱根山中暴行事件の現場写真かい？　きみも、とんだ連中にひっかかったもんだ。おかげで、石廊崎《いろうざき》のとっぱなから突きおとされるところだったんだよ、ぼくは」

「ほんとですか」

いやな顔をしていた栄二が、こんどは心細げな顔つきになった。

「ぜんぶで七人、みんなイヴと名のってる。ぼくはイヴ・ワン、イヴ・トゥーとナンバーをつけて、区別することにしたんだが、日本の若い男性に愛想《あいそ》をつかして、徒党《ととう》を組んだというわけさ。きみがすなおに、買いとる約束をしていたとしても、あとをひくに決ってるよ」

「困ったなあ。一度だけなら、無理すりゃ、なんとかならない金額でもないけれど」

「そんな顔をするから、あの女たちに愛想をつかされるんだ。フィルムは取りもどしてやるよ。いまから出かければ、ちょうど約束の時間に間にあうだろう」

手首のラドー・ダイヤスターをのぞきながら、一郎がいった。栄二はけげんそうに顔を

あげて、

「約束というと？」

「七人のイヴから挑戦されて、決闘しにいくんだよ。きみはつまり、立会人ってわけだ」

鐙一郎は栄二をうながして、ファッション喫茶をでると、大和田の坂をくだって、渋谷駅ちかくのビルの駐車場へいった。一郎がのりこんだのは、クラシック・スタイルのスポーツカーではなく、ごくありふれた灰いろのフォルクスワーゲン、前から見ればかぶと虫、後から見ると、笑ってる人の顔みたいなやつだった。

「こないだの車じゃないんですね」

と、栄二がいうと、一郎はイグニションキイをさしこみながら、

「コード・スポーツマンか、仕事をしにゆくのに、あんな目立つしろものは使えないだろう？」

そのマンションは、神宮前の通りに面した一階が、スポーツ・ショップになっていた。斜めにあたる西日が、八階立ての窓ガラスを光らしている下で、大きなショウウィンドウの前に、何人ものひとが立ちどまっている。すこしばかり気の早い、アクアラングの宣伝

をしているのだった。

ショウウィンドウの内側は、大きな水槽《すいそう》になっている。底に敷きつめた砂の上には、スノーケルをつけた潜水マスクや、防水腕時計や、水中カメラや、スピアーガン（水中銃）が、ビニール製の海草をあしらって、並べてあった。バックは大きなカラー写真で、白い縞の入った緑のウェットスーツのアクアノート（アクアラング潜水家）が、白い魚雷みたいな水中スクーターにつかまって、斜めに近づいてくるところ。それを追うように、スピアーガンをかまえた黒いウェットスーツすがたがふたつ、遠景に配してあって、上のほうには白い活字体で、SCUBA DO, OR DIE. と書いてある。

だが、それだけで、人がたかっているわけではない。サモンピンクのウェットスーツの上衣だけを着て、白いシングルの空気タンクをしょった女性が、サモンピンクのフィン（足びれ）をひらめかして、水槽のなかを泳ぎまわっているからだった。

「七人のリーダーを、ぼくはイブ・セブンと呼ぶことにしたんだがね。それが、こういう宣伝関係の企画を立てる事務所を、経営してるらしいんだ」

マンションの玄関前のパーキングロットへ、フォルクスワーゲンを乗り入れながら、鐙一郎がいった。

「なかなか凝《こ》ってますね。バックになにか書いてあったけど、スクバってなんです？」

と、栄二が聞いた。

「自給水中呼吸装置、セルフ・コンテインド・アンダウォーター・ブリーズィング・アパレイタスのかしら文字をつなげて、つくった言葉さ。タンクやフィンをつけてやる潜水法の総称《そうしょう》だよ。アクアラングってのは商品名だし、酸素《さんそ》ボンベをつかうやり方もあるからね。スキューバ・ドゥー・オア・ダイってのは、『潜りをやらないやつは死んじまえ』ってところかな。ハーバード大学のパロディ・グループがつくったジェイムズ・ボンドものの題名から、借用したらしいがね。凝《こ》りすぎてて、通じないだろうよ、一般には」

「まさか、このなかで決闘させる気じゃ、ないでしょうね」

ショウウインドウの人だかりのうしろに立ちどまって、栄二は一郎の耳にささやいた。

「まさか――じゃないよ。そうに決ってるじゃないか。きみはここで、見ていたまえ」

一郎は栄二の肩をたたいて、スポーツ・ショップの中へ入っていった。その背の高いうしろ姿が、アクリル・ガラスのスイングドアに吸いこまれるのを、ぽかんと口をあいて、栄二は見おくった。いくらあの女たちが、すごいといっても、午後五時の街頭で決闘をする、なぞということは、とうてい信じられなかったからだ。

けれど、人のあいだに割りこんで、ショウウインドウに顔を近づけてみると、なかの女に見おぼえがあった。レギュレーターのマウスピースをくわえ、サモンピンクのゴムで縁どった楕円形《だえんけい》の潜水マスクで、上半分をおおった顔は、一郎のいうイヴ1、栄二が裸にしそこねた女のものだった。

イヴ1は、水槽の底の砂の上にあぐらをかいて、コカコーラの王冠をぬいていた。王冠がはずれても、水圧の加減か、中身はあまり噴きださない。大きく空気を吸いこんでから、女はマウスピースを吐きだして、コーラの壜を口にあてた。ウェットスーツの前後の裾《すそ》をつないだサモンピンクのゴムが、あぐらをかいた白いパンツのあいだに食いこんで、奇妙にエロティックだった。

まわりの見物が、かすかな声をあげた。黒いフィンをつけた毛臑《けずね》が、にゅっと上から入ってきたからだ。黒いスウィムパンツに、黒いウェットスーツの上衣をきて、潜水マスクをかぶった一郎だった。背中にしょったシングル・タンクの色も黒い。

イヴ1はコカコーラの壜を砂に倒して、マウスピースをくわえると、斜めに上昇した。いきなり一郎のフィンの片方を、両手でつかんで、からだを弓なりに反《そ》らしながら、沈みこむ。一郎はあおむけに曳《ひ》きずられたが、上半身をたくみに反転《はんてん》させると、相手の足につかみかかった。イヴ1は手を離して、一郎の横をすじかいに泳ぎぬけた。

ふたりの背中の排気弁《はいきべん》から、吐きだされる息が泡になって、一定のリズムで立ちのぼる。イヴ1はからだをひねると、腰のケースからゴム柄の水中ナイフをぬいて、巴《ともえ》なりに上昇してくる一郎につきかかった。

「おかしいな。きのうはこんなの、やらなかったぜ」

「なんだ、お前、きのう一日、見てたのか」

「いかすじゃない。あのナイフ、本物かしら？」

「小道具にきまってるじゃないか。刃《は》がついてたら、大変だよ」

そんな小声が、まわりで聞えた。ショウウインドウのなかが、大変なことになっているのを知ってるのは、自分だけだと思うと、栄二は急に、周囲にすくいを求めたくなった。それをこらえながら、手のひらに滲《にじ》みでる汗を、ズボンにこすりつけて見ている目の前に、サモンピンクのフィンが貼りついた。

イヴ1が、ウインドウのガラスをフィンで押して、一郎に飛びかかったのだ。一郎はからだを縮めながら、ナイフをにぎった相手の手首を左手でつかむ。右手は、相手のウェットスーツのジッパーを、力まかせにひきさげた。女は一郎の口から、マウスピースをもぎとろうとしていた。褪紅色《たいこうしょく》のゴムを押しのけて、濡れた乳房がとびだした。薄みどりがかった水と、ぴったり身についた煉瓦《れんが》いろのゴムのスーツに、白い胸の起伏と牡丹《ぼたん》の芽のような乳首が映《は》える。リズムの乱れた排気の泡のあわただしさと、スローモーションのからだの動きが、ふしぎな効果をそえていた。

イヴ1が左手で、あわててジッパーをひきあげようとする隙に、その右手首をねじあげながら、一郎は両足を斜めに蹴あげた。女の腋《わき》の下をくぐるかたちで、背後にまわると、相手の腰に両足をからみつかせて、反り身になりながら、目の前の白いタンクの上のコックを、右手で締めあげた。これを締めれば、タンクの中の圧縮空気は、出なくなるのだ。タンクをひっぱられ、それにつれて、両肩にかかったハーニス（背おい紐）がひっぱられるので、胸の露出度《ろしゅつど》は多くなり、ジッパーはひきあげにくくなった。イヴ1は、右手をひろげてナイフを離し、左手でマウスピースをとった。まいった、という合図だろう。

ふたりのからだは、あおむけに重なって、庭の砂についていた。一郎が足をゆるめると、女はあわてて胸のジッパーをあげながら、浮上していった。ガラスのこちらの人垣から、いっせいに吐息《といき》がもれる。それが、自分ひとりの安堵《あんど》のため息のように、栄二には聞えた。

一郎は砂の上から、水中カメラをひろいあげた。そのとき、ひろげた左の手のひらから、うす黒いけむりが、かすかにあがった。それが煙でなく、血であることは、見ているものにも、すぐわかった。いつの間にか、女のナイフで、傷つけられていたらしい。異様などよめきが、人垣のなかで低く起った。

灰いろのフォルクスワーゲンは、マンション前のパーキングロットをすべり出ると、混雑した車のあいだをたくみに通って、神宮外苑へ走りこんだ。もう空は暗く、街灯がともっていた。そのひとつのそばに車をとめると、鐙一郎はドライバーズ・シートから飛びだした。すばやく車の外まわりを点検してから、車内にもどると、

「見つかったか?」

と、栄二に聞いた。

「怪しいものは、ないですよ。でも、そんな爆弾や、尾行《びこう》電波の発信器なんか、しかけられる可能性があるんですか?」

「武器なしってハンディキャップは、文句ないさ、相手が女なんだからね。でも、空気タンクはひどかった。十分間ぶんの圧縮空気しか、入ってなかったんだぜ」

「ほんとですかあ?」

髪の毛のまだ濡れている横顔で、ぞっとして見つめながら、栄二は聞きかえした。

「闘いがもうすこし長びいてたら、ぼくは負けていたところだから、なにをするかわからないよ」

「じゃあ、フィルムが現像《げんぞう》してなくて、このカメラに入ってるってことも——」

一郎が車外へでたときも、手首にぶらさげていて、いまは腕からさがっているニコノスを、栄二は指さした。

「その点は大丈夫だろう。イヴ7が保証してたからね。それだけに、ほかの細工《さいく》がしてあるんじゃないか、と思ったんだ」

フォルクスワーゲンは、もとの渋谷へむかって、走っていた。

「だったら、渡してくださいよ。一秒でも早く、感光させちまいたいんだ」

と、栄二は手をさしだした。一郎は右手をハンドルにかけたまま、ひょいと肘をしゃくりあげた。ストラップでぶらさがっているニコノス水中カメラは、勢いよくはねあがって、栄二の手を激しくたたいた。

「甘えちゃいけませんね、高野君」

フロントグラスを見つめたまま、微笑をふくんで、一郎はいった。車は道玄坂をのぼって、上通りに出ていた。

「ぼくはこれを取りもどすために、いちおう命をかけたんですよ。あのナイフには、破《は》傷風菌《しょうふうきん》がつけてあったかも知れないんだ」

と、まだ血の筋が、うっすらとついている左の手のひらを、一郎はかざしてみせて、

「それをろくろく、礼もいわずに受けとろうとはね。もっともぼくは礼の言葉なんか欲しくはないよ」

ぽかんと口をあけて、栄二はしばらく黙っていたが、シートのすみにもそもそと尻を移して、

「あんたも、あの連中とおなじことだったのか」

「誤解しちゃ困るね。ゆすり屋じゃないぜ、ぼくは」

「じゃあ、なんなんだよ?」

「簡単にいえば、平凡な現代に冒険を追いもとめる夢想家、というところかな。こういうと、いやに古風な人間みたいだけど、そこはやっぱり現代人でね。他人のために、ただ働きはしたくない」

「それじゃ、やっぱり同じじゃないか」

「違うね。金をよこせ、というんじゃないんだ。ぼくがきみのために働いてやったんだから、きみもぼくのために働いてくれないか。ギブ・アンド・テイクというわけさ」

「夜なかに川へいって、ゴミを棄ててこいってんじゃないでしょうね? 銀行までトンネルを掘れなんてのも、ごめんですよ」

「いくらか元気になったらしいな。そんな難題はたのまないよ。姉さんがひとり、あるだ

ろう？　きみに」

「ええ、女の」

「雅子さん、といったかな。あのひとに、ぼくを紹介してくれないかな」

「そんなことなら、お安いご用だ」

「ぼくが姉さんに、なにをするかもわからないのに？」

「あねきは大人ですよ。ひとの奥さんになってるくらいだから」

「紹介したあとの責任は、姉さん自身にあるってわけか」

「それより、どこへ行く気なんです？」

車はトールゲイトで料金を払って、第三京浜国道に入っていた。晩めし時という中途はんぱな時間のせいか、水銀灯に照された六レインは、たいへんに空いている。スピードをあげながら、一郎がいった。

「尾行されてる恐れは、なくなったわけじゃない。都内を離れたほうが、見わけやすいんだ。ハマでシナメシでも食って、帰ろうじゃないか」

「いいですね。そうと話がきまったら、返してくださいよ、フィルム」

「まだ駄目。姉さんをつれてきてからだ」

右手にかけたニコノスを外すと、シートの左わきへおこうとして、ふと一郎は手をとめた。

「待てよ」

前方に、せまい陸橋《りっきょう》があった。その手前の道路ぎわに、非常電話の標識が、乳白色にかがやいている。一郎はその前に車をとめると、水中カメラを耳にあて、次にかるく振ってみてから、慎重に膝の上でひらきはじめた。防水部分を外してみると、内部にはメカニズムがなかった。その代りに、巻きおさめたフィルムと、黒いビニールづつみが、きっちり一杯つまっている。

「なんです、それ？」

と、栄二がきいた。

「爆弾らしいね。フィルムを出すと、爆発するんだろう。きみの運転は、わりにうまかったな。代ってくれ」

一郎はカメラをもったまま、車外にでた。うしろをまわって、右のドアから入りこむと、ドライバーズ・シートに移った栄二に、

「ぼくが声をかけたら、バックしてくれ。また声をかけたら前進して、どんどんスピードをあげるんだ、いいというまで」

「なにをする気なんです？」

「危険物を投げすてるのさ。こいつを利用して」

と、いいながら、一郎は天井に手をやって、スライド式の天窓をあけた。栄二のおびえた顔を無視して、天窓から上半身をつきだすと、

「降車オーライだ」

栄二は観念したように、車をバックさせた。しばらく戻ると、一郎が号令をかけた。

「前へ進め！」

栄二はアクセルを踏んで、ぐんぐんスピードをあげた。屋根にのりだした一郎は、車が陸橋の下にかかった瞬間、左手でフィルムをもぎとると、同時に右手で力いっぱい、カメラを抛《ほう》り、なげた。それが、後方の路上に落ちるのは見とどけずに、天窓から身を沈めた。

「もっと飛ばすんだ」

と、一郎がいいおわるのと同時だった。爆発音が、うしろで起った。大きな音ではなかったが、それは続けざまに起った。一郎はふりかえった。栄二はバックミラーを見て、あっけにとられた。一郎は笑いだした。

「見ろよ、イヴたちのくれたビックリ函を！」

うしろの道路には、赤い火花が、つぎに紫の火花が、最後に青い火花が、はじけるような音とともに、噴きあがっていた。花火だったのだ、それは。

二日後の昼めし時、高野栄二は姉の深井雅子をさそって、芝のプリント・ホテルへやってきた。レストランで、フランス料理をおごる、というのが、口実《こうじつ》だった。レストランは、ロビーを入って左手にある。ベレットをとめたのが、いちばん左のドアのところだったのに、姉をおろしてから気がついて、栄二は心細くなった。

もしタイミングが狂ったら、めし代を負担することになりかねない。胃が丈夫で、おまけに食べても肥らない体質が、姉の自慢なのだった。金のかかった和服すがたのあとに続きながら、栄二はロビーを見まわした。鐙《あぶみ》一郎は、見あたらない。レストランの入り口は、近づくばかりだ。栄二が後悔しかけたとき、うしろから声がかかった。

「高野君じゃないか」

一郎は渋いダークスーツに落着いて、顔の感じまで違うようだった。打ちあわせ通り、いまは神戸《こうべ》に帰って、父親の商売をついでいる旧友として、一郎を姉に紹介した。

「べつに用じゃないんだ。ちょっと、めし食いにきただけでね」

初対面同士のあいさつが交されたあとで、栄二がいうと、

「だったら、ぼくに招待させてくれよ。お姉さんも、いかがです？　栄二君につきあって

いただけませんか」

その一郎の申し出をうけてから、栄二はとんきょうな声をあげた。

「しまったな。大事なことを、会社の女の子にいいわすれてきた。ぼく、ちょっと電話をかけてくる。先へいっててくれないか、ふたりで」

打ちあわせに従ったまでで、ほんとに電話をかけるつもりはない。ロビーをひとまわりする気で、栄二がフロントの前まで来たときだった。クラークのいんぎんな英語が、耳に入った。

「どなたさまでしょう」

旅行かばんを足もとにおいて、その前に立っているのは、身なりのいい外人だった。大きなサングラスをかけているので、顔立ちはわからないが、まだ若いらしい。俯《う》つむきかげんに低く名のるのが、栄二に聞えた。

「ボンド。ジェイムズ・ボンドです」

解説――総ては全き合理性に従って終始一貫した

法月綸太郎

『猫の舌に釘をうて』は一九六一年六月、推理小説専門の叢書《そうしょ》としてスタートした「東都ミステリー」の五冊目として刊行された。同年一月刊の『やぶにらみの時計』に続く都筑道夫の長篇ミステリ第二作である。

超絶技巧のはなれわざ、という言葉は本書のためにある。「私はこの事件の犯人であり、探偵であり、そしてどうやら、被害者にもなりそうだ」――一行目から一人三役というパンチラインを繰り出しながら、作者はわずか十ページ足らずでトリッキーな設定を因数分解して、そこからさらに魅力的なシチュエーションを引き出してみせるのだ。

修業時代の作者が師事した大坪砂男の短篇「天狗」を彷彿《ほうふつ》させる見事な導入だが、アクロバティックな設定が真の威力を発揮《はっき》するのは、物語が山場を迎えてから。出オチと思って油断すると、後から目を丸くすること請け合いだ。

似たような設定だと、「わたしはこの事件の探偵であり、証人であり、被害者であり、犯人なのです」というキャッチコピーが付いたセバスチャン・ジャプリゾ『シンデレラの罠』（一九六二）が有名だが、本が出たのは『猫の舌に釘をうて』の方が一年早いし、ジャプリゾが記憶喪失という「イージイな手をつか」っていると知って、都筑は「当時はそれだけで、勝った」と思い、翻訳が出ても読まなかったという（『推理作家の出来るまで』より。以下、特記のない引用は同書から）。言い換えれば、それだけ自分のプロットに自信があったにちがいない。

新人作家は二作目が勝負とよく言われるけれど、ミステリ作家として再デビューした都筑道夫にとっても、本書は通過儀礼のようなチャレンジ作だった。チャレンジとはアイデアや技巧面でのレベルアップだけではない。「現代ものの短篇で、自分をだす勇気がないのを、気にしていたから、この長篇では思いきって自己をだしてみよう」と考えたのは、青春時代の総決算とさらなる飛躍《ひやく》を目指して心に期するものがあったからだろう。

語り手をつとめる淡路瑛一というのも、二十代の翻訳家時代に使っていたペンネームのひとつで、登場人物の多くに実在のモデルがいたという。自伝的な要素については後から触れるとして、その中のひとり、作中でワトソン役を兼ねる《週刊告白》の編集長・中沢のモデルになった中田雅久は、講談社文庫版「解説」で次のように書いている。

この作品が持つ著しい特徴のひとつとして、極めてブッキッシュなミステリであることが挙げられるでしょう。凝《こ》り過ぎ、などと受けとられては困ります。映画化もできなければ、舞台にもかけられない、まったく〝書物的〟なものだ、という意味なのです。本のページを繰って、きめ細かな文章のあやを辿っていく以外には、作者が施《ほどこ》した三重、四重の趣向を享受できる方法はありませんし、だいいち、読者がいま手にしているこの本が、すなわち事件そのものであるわけですから。

「本＝事件そのもの」という表現は文字通りの意味で、ブッキッシュな趣向を支えているのが「束見本を利用した手記」という形式にほかならない。束見本というのは、本の仕上がり具合を確認するために白紙のページを製本したダミーのことで、そこに作者ではない人物が秘密の手記を残すという奇想天外な設定は、十代後半から出版業界に出入りし、作家（翻訳家）と編集の二足の草鞋《わらじ》を履いた才人都筑ならではの妙案である。

この着想は、印刷職人が語り手をつとめるフレドリック・ブラウンの短篇「後ろを見るな」に触発されたものだろう。また作中でも言及されているニコラス・ブレイク『野獣死すべし』はもちろん、同じブレイクの『章の終り』もヒントになったのではないか。本格マニアのレガシー語りになるけれど、前者では息子の復讐を果たすため、轢《ひ》き逃げ犯を捜す父親の手記が重要な役割を果たすし、後者の舞台は出版社で、目次も組み始めから校了まで、印刷・校正の段取りを事件の捜査になぞらえた構成がミソになっている。「後ろを見るな」と『章の終り』は、都筑が早川書房の編集者として携わった作品で、後者のポケミス版に「本のおわりの対話」と題した解説を書いているのもなかなか予言的だ。

もっとも「本のおわりの対話」で終わらないのが本書の芸の細かいところ。ネタを割らないようにグチをこぼすと、今回の復刊でもそうなのだが、本当は巻末付録も解説もない方がいい。『猫の舌に釘をうて』は初刊本から数えて今度で七回目の上梓になるけれど(『三重露出』との合本を含む)、手記本文とオスカア・ワイルドの巻頭句《エピグラフ》以外に何も含まない形で純粋に趣向を成立させているのは、最初の東都ミステリー版だけである。

閑話休題《かんわきゅうだい》。

一人三役や束見本のトリックに目を奪われがちだが、本書の取り柄はそういう飛び道具的な仕掛けに限らない。むしろ「きめ細かな文章のあやを辿って」いかないと見過ごしてしまうような、精妙で手の込んだ工夫が全篇に施されているのがこの小説の醍醐味だろう。読めば読むほど細部の輝きが増して、あらゆる場面と文章が巧妙な伏線であり、同時に真相から目をそらすミスリードでもあるような気がしてくるのはそのせいだ。

倒叙ミステリ好きの読者なら、淡路瑛一と淀橋署の村越警部補のスリルとユーモアに満ちた腹の探り合いがお気に召すはずだ（四畳半の下宿に乗り込んでくるのは、刑事コロンボや古畑任三郎より、「心理試験」「屋根裏の散歩者」の明智小五郎っぽいけれど）。村越欣治という名前をめぐるやりとりは、泉鏡花原作の新派劇『滝の白糸』のヒロイン、女旅芸人「滝の白糸」こと水島友と、苦学して検事になった青年・村越欣弥の悲恋に引っかけた楽屋落ちなのだが、食えないのは村越捜査係長だけではない。

実は『滝の白糸』といい、《週刊告白》の海外犯罪実話の筋立てといい、本書の結末をそれとなく予告する伏線になっている。いっけん脱線とおぼしき蘊蓄《うんちく》や部分的なエピソードが小説全体のテーマを「自己相似的」に物語る、すなわちミニチュアのように再現したフラクタルな反復構造を忍ばせるという凝りようなのだ。

犯人＝探偵＝被害者という一人三役の設定も見かけ通りではない。都筑の念頭にあったのは、ケネス・フィアリングの原作をジョナサン・ラティマーが脚色した映画『大時計』だったという。出版社の社長（チャールズ・ロートン）と犯罪雑誌の編集長（レイ・ミランド）が情婦殺しをめぐってお互いの裏をかこうとする。目撃者探しと真犯人探しを二重構造にしたところがミソで、「そこをもう一歩、押しすすめてみよう」というのが発想のもとだった。二重構造というのは、XとYの連立方程式みたいなものだろう。

　さらに前作『やぶにらみの時計』に続いて、「ダークハーフとしての兄」というモチーフが見え隠れしていることも見逃せない。本書では汚れ仕事を引き受ける分身的存在が事件の鍵を握っているが、目を引くのはその分身にも二重《ダブル》の処理が施されていることだ。ダブル＝分身のモチーフは作中の至《いた》るところにちりばめられており、淡路瑛一が都筑道夫の分身であること、また瑛一が山岸とよ子と深い仲になることも、事件にまつわる鏡像的な人間関係の一部になっている。こうしたダブルの氾濫《はんらん》が「読者への挑戦状」における〈筆者〉と〈読者〉の役割に応用されているのは言うまでもない。

　都筑本人の回想によれば、「その形式の効果を最大限に発揮する方法を考えているうちに、白紙をはさむことや［中略］、伝統的な読者への挑戦状の変った利用法を思いつき、そうした極端な構成と対置する意味で、事件をささえるストーリイには、ロマンティックな恋物語をえらんだ。ただ単に甘いだけでは困るので、日本ではあまりはやらない男のみれんを書くことにして異を立てて、その部分にはグレアム・グリーンが『情事の終り』で使った連想飛躍《ひやく》の方法を、踏襲することにした」（三一書房版『猫の舌に釘をうて／三重露出』あとがき）という。

そのように隅々まで趣向を凝らした、世界的にも類例のない前衛ミステリなのだが、実際に読んだ印象はかなり異なる。「スタイリッシュ」という表現にはそぐわない、青臭くて野暮ったいところを隠そうとしていないからだ。

本文中にこういう記述もある。「貧しい作家の生活記録の上に、事件の進行を二重焼していって、そのあいだに恋の回想を綯《な》いまぜれば、わたくし小説でもあり、本格推理小説でもあり、恋愛小説でもあるユニークな作品が、できあがる」。

都筑道夫の長篇で、自伝的な私小説だと明言されているのは『猫の舌に釘をうて』のみである。師匠の大坪砂男は「嘘つきを二枚舌というが、小説家の舌は二枚ぐらいでは足りない、百枚舌ぐらいでなければ」という理由から「百舌居」と号し、それにちなんで弟子の都筑も「二代百舌居」と称していた。それほど嘘を書くことにこだわった作者が、あえて自分を裸にするような書き方を選んだのは、やはり青春時代の総決算を強く意図していたからだと思う。モデル小説であることをミスディレクションに利用する狙いもあったろうが、何よりも無我夢中で駆け抜けた二十代の記憶を整理するために、メランコリックで自罰的な「男のみれん」という視点が手放せなかったのではないか。

その女性は、もちろんまだ生きていて、結婚しているはずだから、名前はかりに有紀子としておこう。有紀子というのは、私の長篇第二作「猫の舌に釘をうて」の女主人公の名前だ。［中略］小説の有紀子は、さんどりえという喫茶店で働いていて、のちに製薬会社の若い社長と結婚する。モデルになったほうの有紀子は、この本が出たときにはまだ、結婚してはいなかったが、「猫の舌に釘をうて」を読んで、

「あなたがこんな気持でいたこと、ちっとも知らなかった」

と、私にいった。

（『推理作家の出来るまで』より「歌舞伎町の追剝」）

本書のヒロイン有紀子のモデルに関する記述は、第54回日本推理作家協会賞を受賞した『推理作家の出来るまで』（二〇〇〇年刊）に詳《くわ》しい。同書は「ミステリマガジン」一九七五年十月号から八八年十二月号まで十三年間、百五十回にわたって連載された都筑の半自伝エッセーだが、二十年近く引きずった彼女への「初恋」が中盤のハイライトとなっているだけでなく、前記の大坪砂男や夭折した兄・鶯春亭梅橋《おうしゅんていばいきょう》の回想とも地続きで、本書のバックストーリーのような趣がある。いや、筆に遠慮がないせいか、むしろノンフィクションとして書かれた『推理作家の出来るまで』の方が小説っぽくて、ともすると『猫の舌に釘をうて』を下敷きにしたメタフィクションのように読めてしまう。乳母車に長女をの

せて「有紀子」と散歩する場面（「橋からの眺め」）とか、ほとんど怪談みたいな書きっぷりなので、本書が気に入ったひとはぜひ手に取って読みくらべてほしい。
話の順番が前後するが、右の引用の後にも「男のみれん」全開の文章が続く。

そんなふうに、私は恋をするとき、いつも消極的で、不器用だった。［中略］いつも一方通行で、こちらの気持を、相手につたえることが出来ない。ときには、口をきく機会をつかむまでに、くたびれはてて、あきらめてしまう。将棋の手を読むように、頭のなかで恋のすじみちを組立てていって、ああ、またどうせだめだろう。［中略］いまのうちに、あきらめたほうが無難だ、ということにしてしまうのだから、だらしがない。

昔も今も変わらない、非モテ男性にありがちな負け癖思考のパターンで、身につまされる部分も少なくないけれど、このエッセー執筆時のリアル都筑道夫は齢《よわい》五十三にならんとする熟年男性なのである。恋愛弱者アピールも度を越すと、予防線を張りすぎて二重表現的なメッセージになりかねない。
作中の淡路瑛一も大概《たいがい》で、「三月三十一日の誕生日にきめていたわけではないし、花束なんか持っていったことはないが、これまでの七年間、一年に一度だけ、口にだして求婚してきた」と書いているのが、かえってわざとらしい。この男は毎年、わざわざエイプリルフールにかこつけてプロポーズしていたのではないか、そんなふうに思わせる甘えとダメっぽさがある（いわゆる「共感性羞恥」というやつだ）。

　小説の作中人物に文句を言っても始まらないが、てれかくしとか煮《に》えきらないレベルを超えて、瑛一は「信頼できない語り手」であることを隠していない。そうでなければ本書のトリックが成立しないし、実人生においても「三重、四重の趣向」で包囲しないと、口にできない本心もあるだろう。だがワイルドの戯曲『サロメ』の妖艶なヒロインの踊りのように、七つのヴェールを全部はぎ取っても、最後に残るのが本当の姿とは限らない。赤裸々な「告白」や「解決篇」さえ一種のポーズにすぎないなら、都筑道夫の仕組んだ完全犯罪は、大坪砂男「天狗」の犯行をなぞるように「総ては全き合理性に従って終始一貫した」のではあるまいか？

　ところで、『推理作家の出来るまで』の連載終了後、同じ「ミステリマガジン」に連載された『都筑道夫の読ホリデイ』（一九八九年一月号～二〇〇一年九月号）には、グレアム・グリーンの『情事の終り』に関する興味深い発言が残されている。

「たとえば最初、ノヴェルとして発表した『情事の終り』を、私はかつてミステリイ史上、もっとも意外な犯人を狙った推理小説――神が犯人のミステリイだ、と評したことがある」「田中西二郎氏の翻訳で、最初に日本語になった直後から、私はこのことをいっているのだが、なるほど、といってくれたひとは、あまりない」

前半は一九九一年六月号、後半は九二年十二月号からの引用だが、いずれも同趣旨の文章である。気になったのは「最初に日本語になった直後から」というところ。田中西二郎訳『愛の終り』（旧訳題）が出たのは一九五二年（昭和二十七年）十一月のことで、もう一度『推理作家の出来るまで』の「歌舞伎町の追剝」の回想を引くと、

新宿の紀伊國屋書店のとなり、新星館という映画館の前通りにあった丘珈琲店に、私が入りびたっていたときに、有紀子はそこへウェイトレスとして、入ってきた。私がまだ中野区の沼袋に下宿して、読物雑誌の小説を書いていたころだから、昭和二十七年の末だったろう。

という。「丘珈琲店」は本書の《サンドリエ》のモデルとなった店で、都筑の記憶通りなら、有紀子と知り合ったのとほぼ同時期のことである。「グレアム・グリーンが『情事の終り』でつかったテクニック、連想によって、回想を前後自由に動かす手法」が技巧倒

れに終わらず、もくろみ通りの効果をあげているのは、そもそも都筑の「初恋」と『情事の終り』の読書体験が密接にリンクしていたからだろう。いや、むしろナイーブな文学青年だった都筑道夫に「愛のパラドックス」を刷り込んだ罪深い書物なのだ。そう考えると長すぎた「初恋」にピリオドを打つため、淡路瑛一という分身を過去から召喚し、〆切直前の走馬灯《そうまとう》みたいな手記を綴《つづ》らせた理由も腑《ふ》に落ちる。

だとすれば、グリーンの向こうを張った『猫の舌に釘をうて』にも、さらに意外な犯人を狙った趣向が隠されているのではないか——要するに「神」ならぬ「紙」が犯人のミステリ、ということである。

まんざらの冗談ではなく、「紙」というのは書物であり、束見本であり、本書のページのことでもある。解決篇で示唆されているように、都筑道夫がオスカア・ワイルドの詩句を扉に掲げなければ、淡路瑛一の物語は別の結末を迎えていたかもしれない。扉に刻まれたReading Gaol（レディング獄舎）という英字を、Reading Goal（読書のゴール）と空目してしまうのは偶然だろうか？

だから真犯人は、最初のページから読者の前に顕現していたのだ。「気障《きざ》で古くさい」エピグラフが〈読者〉に及ぼした象徴的な役割に注目すると、本書でもっとも意外な犯人とは、オスカア・ワイルドであり、都筑道夫であり、『猫の舌に釘をうて』という書物そのものだったことになる。

さて、復刊シリーズ第一弾『やぶにらみの時計』に続いて、本書の巻末にも雄鶏社のメンズマガジン「SEVENエース」に連載された幻の長篇『アダムと七人のイヴ』の「第2話 SCUBA DO, OR DIE」（一九六六年四月号）がボーナス収録されている。鐙《あぶみ》一郎と名乗る謎の男と七人の「イヴ」たちの奇妙な戦いはまだ始まったばかりだが、今回の水槽バトルといい、怪しさ全開のヒキといい、未完に終わったのが返す返すも惜しまれる。荒《こう》唐無稽《とうむけい》なお色気アクションと思わせて実は……という、都筑スリラーらしい超展開がこの先に控えているから尚更だ。次巻にも巻末付録として「第3話」（予断を与えないよう、あえてタイトルは伏せる）が掲載されるので、刮目《かつもく》して待て！

二〇二一年十二月

本書に収録されている「猫の舌に釘をうて」は、1977年6月講談社文庫として刊行された作品を底本としています。「アダムと七人のイヴ」は、「SEVENエース」1966年4月号に掲載された作品を収録いたしました。

本作品はフィクションであり実在の個人・団体などとは一切関係がありません。

なお、本作品中に今日では好ましくない表現がありますが、著者が故人であること、および作品の時代背景を考慮し、そのままといたしました。なにとぞご理解のほど、お願い申し上げます。

（編集部）

本書のコピー、スキャン、デジタル化等の無断複製は著作権法上での例外を除き禁じられています。本書を代行業者等の第三者に依頼してスキャンやデジタル化することは、たとえ個人や家庭内での利用であっても著作権法上一切認められておりません。

徳間文庫

猫《ねこ》の舌《した》に釘《くぎ》をうて

© Rina M. Shinohara 2022

2022年2月15日 初刷

著者 都《つ》筑《づき》道《みち》夫《お》
発行者 小宮英行
発行所 株式会社徳間書店
東京都品川区上大崎三—一—一 〒141—8202
目黒セントラルスクエア
電話 編集〇三(五四〇三)四三四九
販売〇四九(二九三)五五二一
振替 〇〇一四〇—〇—四四三九二
印刷 製本 大日本印刷株式会社

ISBN978-4-19-894718-7 (乱丁、落丁本はお取りかえいたします)

トクマの特選!　好評既刊

小泉喜美子

死だけが私の贈り物

生涯五本の長篇しか残さなかった小泉喜美子が、溺愛するコーネル・ウールリッチに捧げた最後のサスペンス長篇。「わたしは〝死に至る病〟に取り憑《つ》かれた」――美人女優は忠実な運転手を伴い、三人の仇敵《きゅうてき》への復讐《ふくしゅう》に最後の日々を捧げる。封印されていた怨念が解き放たれる時、入念に仕掛けられた恐るべき罠《わな》と目眩《めまい》があなたを襲う。同タイトルの中篇を特別収録。

トクマの特選！ 好評既刊

中町 信
死の湖畔 Murder by The Lake 三部作#1
追憶（recollection）
田沢湖からの手紙

　一本の電話が、彼を栄光の頂点から地獄へと突き落とした。——脳外科学会で、最先端技術の論文発表を成功させた大学助教授・堂上富士夫に届いたのは、妻が田沢湖で溺死したという報せだった。彼女は中学時代に自らが遭遇した奇妙な密室殺人の真相を追って同窓会に参加していたのだった。現地に飛んだ堂上に対し口を重く閉ざした関係者たちは、次々に謎の死に見舞われる。

トクマの特選！　好評既刊

都筑道夫

やぶにらみの時計

「あんた、どなた？」妻、友人、そして知人、これまで親しくしていた人が〝きみ〟の存在を否定し、逆に見も知らぬ人が会社社長〈雨宮毅〉だと決めつける——この不条理で不気味な状況は一体何なんだ！　真の自分を求め大都市・東京を駆けずり回る、孤独な〝自分探し〟の果てには、更に深い絶望が待っていた……。都筑道夫の推理初長篇となったトリッキーサスペンス。